EASY TEST
보카 콕 2

① 말뭉치로 외우세요.

어휘는 의미 단락의 덩어리로 외우는 것이 좋습니다. 예를 들어 '피자를 먹다', '약을 먹다', '겁을 먹다'는 우리말로 모두 '먹다'이지만 영어에서는 'eat (have) pizza', 'take medicine', 'get scared'와 같이 각각 서로 다른 동사를 사용합니다. 그런데 eat만 따로, take만 따로 외운다면 '피자를 먹는다'는 표현을 할 때 어떤 동사가 적절한지 알 수 없습니다. 이처럼 말뭉치로 외우면 단어를 하나씩 외우는 것보다 훨씬 잘 외워지는 것은 물론이고, 단어의 사용법까지 함께 익힐 수 있답니다.

② 단어를 확장시켜 외우세요.

단어 하나를 외우면 최소 2~3개는 거저 외워진다는 것을 알고 있나요? 예를 들면 'bake(빵을 굽다)'라는 단어에 r을 붙이면 baker(제빵사), 또 거기에 y를 붙이면 bakery(빵집)가 됩니다. 이런 식으로 단어를 외울 때 그 단어의 파생어를 떠올리며 확장시켜 나가면 한꺼번에 여러 단어를 외울 수 있답니다.

③ 어원과 함께 외우세요.

우리말에도 한자, 일본어, 영어 등 다양한 언어에서 영향을 받은 단어들이 많듯이, 영어에도 오랜 세월을 거쳐 오는 동안 많은 언어들의 영향을 받아서 그 흔적이 남아 있습니다. 예를 들어, 접두어 en- (em-)은 make(~하게 하다, ~하게 만들다)의 의미를 갖습니다. en + joy = 즐겁게 만들다 → 즐기다, en + courage = 용기를 갖게 하다 → 용기를 북돋다, 격려하다 등을 살펴보면 쉽게 이해할 수 있지요. 단어를 외울 때 그 어원을 눈여겨보면 생소했던 단어도 친숙하게 다가온답니다.

4 단어가 가진 핵심적인 뜻을 기억하세요.

한 단어가 여러 가지 뜻을 가지고 있어 우리를 힘들게 할 때가 많은데, 그럴 때는
그 단어의 핵심적인 뜻을 떠올려 보세요. 예를 들면, create라는
단어에는 '창조하다', '만들다', '창출하다'등의 뜻이 있습니다.
하지만 자세히 들여다보면 '무언가를 만들어낸다'는 핵심적
인 뜻이 그 가운데에 있다는 것을 알 수 있습니다. 이렇듯 처
음 외울 때는 핵심적인 뜻만이라도 알고 가고, 다음에 그 단
어를 만나게 될 때 추가적인 뜻과 용법 등을 자세히 공부한다
면 그 단어는 온전히 여러분의 단어가 된답니다.

5 오감을 동원하여 외우세요.

한 연구 조사에 따르면 눈으로 보고 쓰면서 외우는 것보다 소리로 듣고 스스로 말을 해
보거나 동작을 하면서 외울 때 뇌의 여러 부분이 자극을 받아 기억의 지속 시간이 길어
진다고 합니다. 여러분도 단어를 외울 때 큰 소리로 따라 읽어 보거나, 동
사를 외울 때 그 동작을 직접 해 보는 등 적극적으로 외워보세요. 단어
고지의 탈환이 눈앞에 보일 것입니다.

(꿈틀 홈페이지 www.ggumtl.co.kr에서 원어민의 음성으로 녹음된
MP3 파일을 다운 받거나 책 속의 QR코드를 활용하여 공부해 보세요!)

6 나만의 단어장을 만드세요.

자신만의 손때 묻은 단어장을 만들어두면 단어장에 대한 애정도 생기고 그만큼 단어
공부에도 도움이 많이 됩니다. 잘 안 외워지는 단어는 자기만의 방식으로
표시를 해 보세요. 가령 형광펜이나 색연필 등으로 밑줄을 긋는다든
지 체크를 한다든지 말이죠. 한번 표시함으로써 머릿속에 깊이 각
인시키는 효과를 낼 수 있습니다. 또한 단어장에 추가로 예문을 적
어보는 것도 좋습니다. 이러한 메모들이 차곡차곡 쌓이면 그 무엇
과도 바꿀 수 없는 나만의 귀중한 단어장이 완성될 거예요.

학습 계획표 Study Plan

12주 계획표

▶ 중학교 필수 어휘를 12주 안에 차근차근 학습하고 싶은 학생에게 추천하는 계획표

	1일차	2일차	3일차	4일차	5일차	6~7일차
1주차	Day 01	Day 02	Day 03	Day 04	Day 05	Review, 복습
2주차	Day 06	Day 07	Day 08	Day 09	Day 10	Review, 복습
3주차	Day 11	Day 12	Day 13	Day 14	Day 15	Review, 복습
4주차	Day 16	Day 17	Day 18	Day 19	Day 20	Review, 복습
5주차	Day 21	Day 22	Day 23	Day 24	Day 25	Review, 복습
6주차	Day 26	Day 27	Day 28	Day 29	Day 30	Review, 복습
7주차	Day 31	Day 32	Day 33	Day 34	Day 35	Review, 복습
8주차	Day 36	Day 37	Day 38	Day 39	Day 40	Review, 복습
9주차	Day 41	Day 42	Day 43	Day 44	Day 45	Review, 복습
10주차	Day 46	Day 47	Day 48	Day 49	Day 50	Review, 복습
11주차	Day 51	Day 52	Day 53	Day 54	Day 55	Review, 복습
12주차	Day 56	Day 57	Day 58	Day 59	Day 60	Review, 복습

6주 계획표

▶ 중학교 필수 어휘를 6주 안에 빠르게 정리하고 싶은 학생에게 추천하는 계획표

	1일차	2일차	3일차	4일차	5일차	6~7일차
1주차	Day 01-02	Day 03-04	Day 05, Review	Day 06-07	Day 08-09	Day 10, Review
2주차	Day 11-12	Day 13-14	Day 15, Review	Day 16-17	Day 18-19	Day 20, Review
3주차	Day 21-22	Day 23-24	Day 25, Review	Day 26-27	Day 28-29	Day 30, Review
4주차	Day 31-32	Day 33-34	Day 35, Review	Day 36-37	Day 38-39	Day 40, Review
5주차	Day 41-42	Day 43-44	Day 45, Review	Day 46-47	Day 48-49	Day 50, Review
6주차	Day 51-52	Day 53-54	Day 55, Review	Day 56-57	Day 58-59	Day 60, Review

 보카콕 학습 방법

STEP 1 만화와 삽화, 예문을 통해 표제어를 학습하고, MP3 파일을 들으면서 발음을 확인해 봅니다. Day 학습이 끝나면 Wrap-up Test를 통해 그날 배운 어휘를 점검하고, 암기한 어휘는 첫 번째 체크 박스에 표시 ☑□ 합니다.

STEP 2 5일 동안 학습한 분량의 어휘를 Review Test를 통해 반복해서 확인합니다. 완벽하게 암기한 어휘는 두 번째 체크박스에 표시 ☑☑하고, 아직 외우지 못한 어휘들을 복습합니다.

STEP 3 중학교 학생이라면 반드시 알아야 하는 내용이 담긴 Zoom In을 학습함으로써 어휘 실력을 한 단계 업그레이드합니다.

발음기호 Phonetic Symbols

❶ 자음

▶ 유성자음   발음할 때 목에서 떨림이 느껴지는 자음이에요.

구분	[b]	[d]	[m]	[n]	[r]
소리	ㅂ	ㄷ	ㅁ	ㄴ	ㄹ
구분	[l]	[z]	[ʒ]	[dʒ]	[ð]
소리	ㄹ	ㅈ	쥐	쮜	ㄷ
구분	[g]	[v]	[h]	[ŋ]	[j]
소리	ㄱ	ㅂ	ㅎ	(받침) ㅇ	이

▶ 무성자음   발음할 때 목에서 떨림이 느껴지지 않는 자음이에요.

구분	[p]	[f]	[θ]	[s]	[ʃ]
소리	ㅍ	ㅍ/ㅎ	ㅆ	ㅅ	쉬
구분	[k]	[t]	[tʃ]		
소리	ㅋ	ㅌ	취		

❷ 모음

구분	[a]	[e]	[i]	[o]	[u]
소리	ㅏ	ㅔ	ㅣ	ㅗ	ㅜ
구분	[æ]	[ʌ]	[ɔ]	[ə]	[ɛ]
소리	ㅐ	ㅓ	ㅗ/ㅏ	ㅓ	ㅔ

EASY TEST 보카콕 ❷

교재 개발에 도움을 주신 선생님들께 감사드립니다.

권익재 대구	김광수 수원	김명선 용인	김문성 부산
김용수 광주	김정곤 서울	김정욱 서울	김정현 시흥
류헌규 서울	명가은 서울	박정호 서울	박창욱 부산
반정란 인천	방성모 대구	서동준 산본	송수아 보령
양주영 천안	유정인 대전	이광현 해남	이다솜 부천
이장령 창원	이정민 경기	이창녕 수원	이충기 화성
이헌승 서울	임민영 서울	임지혜 거제	장미연 경기
정도영 인천	정용균 전주	정윤슬 대구	최보은 서울

EASY TEST 보카 극

2

필수 중등 어휘 수록

- 중학교 2학년 교과서를 분석하여 빈도수 높고 꼭 알아야 하는 어휘 900개를 표제어로 선정
- 어휘별 체크박스 ☑□를 활용한 체계적인 학습 및 복습 가능
- 원어민의 음성으로 녹음된 표제어와 예문으로 정확한 발음 익히기

1,300개 이상의 어휘 학습

- 표제어의 유의어, 반의어, 숙어, 파생어 등을 수록하여 총 1,300개 이상의 어휘 학습 가능
- 실용적이고 다양한 주제의 예문을 통해 어휘의 쓰임새 쉽게 파악

재미있게 외워지는 암기 방식

- 표제어와 함께 제시되는 삽화와 사진 등 다양한 시각 자료로 학습 흥미 유발
- 연상 작용을 통한 효율적인 암기 방법 적용
- 표제어와 예문이 녹음된 듣기 파일 QR코드 지원

Features

다양한 내신 대비 TEST

- Wrap-up Test와 Review Test를 통해 학습한 어휘 점검
- 내신 시험을 대비한 영영풀이, 유의어, 반의어 등 다양한 종류의 문제 수록
- 원어민이 들려주는 받아쓰기로 스스로 학습

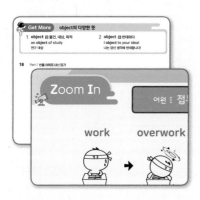

어휘 학습에 유용한 TIPS

- Get More와 Zoom In에 영어 어휘 학습에 유용한 다양한 내용 수록
- 함께 학습하면 어휘 실력뿐만 아니라 전반적인 영어 실력이 향상

나만의 미니 사전 INDEX

- 어휘 뜻과 수록된 페이지 표기
- 궁금한 어휘 바로 찾아 보기 가능
- 따로 뜯어서 나만의 미니 사전으로 활용 가능

★ 홈페이지에서 다양한 학습 자료를 무료로 다운받으실 수 있습니다. [www.ggumtl.co.kr]

① 5종의 추가 테스트지 제공 (원어민 받아쓰기 테스트지 3종 + 철자쓰기 테스트지 2종)
② 표제어와 예문이 녹음된 MP3 파일 제공
③ 표제어 리스트 제공

차례

일러두기 이 책에서 사용된 기호

- 명 **명사** (사람, 사물 등 어떤 대상을 나타내는 단어)
- 동 **동사** (주어의 동작이나 상태를 나타내는 단어)
- 형 **형용사** (명사의 성질, 모양, 성격 등을 나타내는 단어)
- 대 **대명사** (앞서 나온 명사의 중복 쓰임을 피하기 위해 대신해서 쓰는 단어)
- 부 **부사** (동사, 형용사, 부사 등을 꾸며주는 단어)
- 전 **전치사** (명사나 대명사 앞에 위치하여 시간, 장소, 이유, 방법 등을 나타내는 단어)
- 접 **접속사** (단어와 단어, 구와 구, 문장과 문장 등을 연결해 주는 단어)
- 조 **조동사** (다른 동사 앞에 쓰여서 그 동사에 어떤 특정한 의미를 보태 주는 단어)
- ✚ 동의어 및 주요 파생어　　　↔ 반의어

Contents

PART I

빈출 어휘로
내신 잡기

Day 01~30

◀》 MP3 파일을 들으면서
단어를 따라 읽어보세요.

---

001 **success**
□□
[səksés]

명 성공 (= achievement)

The project was a big success.
그 계획은 대 ▓▓▓▓▓ 이었다.

➕ succeed ⑧ 성공하다
  successful ⑱ 성공적인
↔ failure ⑲ 실패

---

002 **depend**
□□
[dipénd]

동 의존하다, …에 달려 있다 (= rely)

The success of this project depends on you.
이 계획의 성공은 당신에게 ▓▓▓▓▓.

➕ dependent ⑱ 의존하는

---

003 **modern**
□□
[mádərn]

형 근대의, 현대적인 (= current)

There are many modern skyscrapers in Seoul.
서울에는 많은 ▓▓▓▓▓ 고층 건물들이 있다.

↔ ancient ⑱ 옛날의, 고대의

---

004 **expect**
□□
[ikspékt]

동 예상하다, 기대하다

I **expect** him to come.
나는 그가 올 것으로 ▨▨▨▨▨▨.

✚ expectation 명 예상

발음주의

005 **quite**
□□
[kwait]

부 완전히, 제법

It's **quite** finished.
그것은 ▨▨▨▨▨ 끝났다.

006 **truth**
□□
[tru:θ]

명 진실, 진리 (= fact)

The **truth** shall make you free.
▨▨▨▨▨가 너희를 자유롭게 하리라.

✚ true 형 사실인, 진짜인
⟷ lie 명 거짓말

강세주의

007 **unite**
□□
[ju:náit]

동 결합하다, 단결하다 (= join)

The two countries **united** in 1887.
두 나라는 1887년에 ▨▨▨▨▨.

✚ unity 명 단일성
⟷ separate 동 분리하다

United Nations
국제 연합

008 **abroad**
□□
[əbrɔ́:d]

ab[away] + road[way]
멀리 길을 간 → 해외로

부 해외로 (= overseas)

He wants to go **abroad** this summer.
그는 이번 여름에 ▨▨▨▨▨ 가고 싶어한다.

009 **army**
□□
[á:rmi]

명 육군, 군대 (= military)

a reserve **army**
예비 ▨▨▨▨▨

010 probable
[prábəbl]

형 있음 직한, 가능한 (= likely)

What is the most **probable** reason for the result?

그 결과에 대해 가장 |||||||| 이유는 무엇입니까?

➕ probably 부 아마도
↔ improbable 형 있음 직하지 않은 (= unlikely)

011 whether
[hwéðər]

접 …인지 어떤지, …이든지 간에

Tell me **whether** you are happy.

당신이 행복 |||||||| 말해 주십시오.

012 accord
[əkɔ́ːrd]

ac[to] + cord[heart]
중심으로 향함 → 일치

동 일치하다, 조화시키다
명 일치, 조화 (= harmony)

His principles don't **accord** with mine.

그의 원칙은 나와 |||||||| 않는다.

➕ accordance 명 일치

013 agree to *n. / v.*

…에 동의하다 (= consent to)

He **agreed to** help me.

그는 나를 도와주는 데 ||||||||.

014 a couple of

두서너 개의, 둘의

We will meet again in **a couple of** weeks.

우리는 |||||||| 주 뒤에 다시 만날 겁니다.

015 apply oneself to -ing

…에 전념하다 (= devote oneself to -ing)

She **applied herself to** improving her English.

그녀는 영어 실력을 향상시키는 데 ||||||||.

Get More quite의 다양한 뜻

1 부 제법, 꽤
It is **quite** cold this morning.
오늘 아침은 꽤 춥다.

2 부 완전히
The two stories are **quite** different.
두 이야기는 완전히 다르다.

✎ ANSWERS p. 274

A 영어는 우리말로, 우리말은 영어로 쓰시오.

1 success _____
2 agree to _____
3 probable _____
4 accord _____
5 modern _____

6 ···에 전념하다 _____
7 완전히, 제법 _____
8 육군, 군대 _____
9 결합하다, 단결하다 _____
10 두서너 개의, 둘의 _____

B 빈칸에 알맞은 단어를 [보기]에서 골라 쓰시오. (필요시 형태를 고칠 것)

| 보기 | unite | depend | expect | truth | abroad |

11 Children _____ on their parents.
아이들은 부모에게 의존한다.

12 We must _____ against the enemy.
우리는 적에 대항하여 단결해야 한다.

13 Stop lying and tell me the _____!
거짓말 그만하고 나에게 진실을 말해!

14 I _____ nothing from such people.
나는 그런 사람들에게는 아무것도 기대하지 않는다.

15 She went _____ for summer vacation.
그녀는 여름 방학에 해외로 갔다.

C 설명하는 단어를 [보기]에서 골라 쓰시오.

| 보기 | accord | probable | success | army | expect |

16 the achievement of something desired _____
17 likely to occur or be true _____
18 a harmony of people's opinions, actions or characters _____
19 the military forces of a nation _____
20 to think that something will happen _____

DAY 02

■◄) MP3 파일을 들으면서
단어를 따라 읽어보세요.

---

016 □□ **troop**
[tru:p]

troopship
군인 수송선

명 군대 (= army), 무리

Korea sent its troops to Iraq.
한국은 이라크에 ▨▨▨▨ 를 보냈다.

---

017 □□ **bit**
[bit]

명 조금, 약간

It's a bit difficult for me.
그것은 제게 ▨▨▨▨ 어렵습니다.

➕ a bit 조금, 다소

---

018 □□ **difficulty**
[dífikʌ̀lti]

명 어려움, 곤경, 장애 (= problem)

He has difficulty in breathing.
그는 호흡에 ▨▨▨▨ 이 있다.

➕ difficult 형 어려운

---

019 female
[fíːmeil]

형 여성의, 암컷의
명 여성, 암컷

This dog is female.
이 개는 ▨▨▨▨ 이다.

↔ male 형 남성의 명 남성

---

020 honor
[ánər]

medal of honor
명예 훈장

명 명예
동 존경하다 (= respect)

I will fight for the honor of my family.
나는 우리 가족의 ▨▨▨▨ 를 위해 싸울 것이다.

➕ honorable 형 명예로운
↔ shame 명 부끄러움, 수치

---

021 nearly
[níərli]

부 거의, 하마터면 (= almost)

I nearly forgot.
나는 ▨▨▨▨ 잊을 뻔했다.

강세주의

022 concentrate
[kánsəntrèit]

con[with] + centr[ceter] + ate
함께 중심으로 향하다 → 집중하다

동 집중하다 (= focus)

Students should concentrate on studying.
학생은 공부에 ▨▨▨▨ 한다.

➕ concentration 명 집중

---

023 disease
[dizíːz]

명 질병 (= illness, sickness)

She is ill with a fatal disease.
그녀는 치명적인 ▨▨▨▨ 을 앓고 있다.

강세주의

024 convenient
[kənvíːnjənt]

convenience store
편의점

형 편리한 (= useful)

This computer is very convenient.
이 컴퓨터는 매우 ▨▨▨▨ 다.

➕ convenience 명 편리함

025 countryside
[kʌ́ntrisàid]

명 지방, 시골 (= rural area)

My family planned a trip to the countryside.
우리 가족은 [   ]으로 여행 계획을 세웠다.

↔ urban area 도시 지역

발음주의

026 fortunate
[fɔ́ːrtʃənət]

형 운 좋은, 행운의 (= lucky)

She was fortunate to survive.
그녀가 생존한 것은 [   ]이었다.

➕ fortune 명 행운
   fortunately 부 운 좋게도

027 negative
[négətiv]

형 부정적인

The news from overseas is negative.
해외로부터의 그 소식은 [   ]이다.

↔ positive 형 긍정적인

028 make an appointment

약속하다 (= schedule)

He made an appointment to see me at 5 p.m.
그는 나와 오후 5시에 만나기로 [   ].

029 carry on

…을 계속하다 (= continue)

Please carry on with your presentation.
발표를 [   ] 주십시오.

030 get along with

…와 사이좋게 지내다 (= live in a friendly way with)

How well do you get along with your neighbors?
너는 네 이웃과 얼마나 [   ]?

Get More   disease *vs.* deceased

1 **disease** 명 질병
  a fatal **disease** 치명적인 질병

2 **deceased** 형 사망한 (= dead)
  a **deceased** person 죽은 사람

🖉 ANSWERS p. 274

A 영어는 우리말로, 우리말은 영어로 쓰시오.

1	convenient	_____	6	부정적인	_____
2	difficulty	_____	7	조금, 약간	_____
3	troop	_____	8	…와 사이좋게 지내다	_____
4	disease	_____	9	약속하다	_____
5	carry on	_____	10	명예, 존경하다	_____

B 빈칸에 알맞은 단어를 [보기]에서 골라 쓰시오. (필요시 형태를 고칠 것)

| 보기 | honor | nearly | disease | concentrate | female |

11 He _____ broke the world record.

그는 세계 신기록을 거의 깰 뻔했다.

12 You have to take this pill to cure your _____.

당신은 병을 치료하기 위해 이 약을 복용해야 합니다.

13 In most animals, the male is bigger than the _____.

대부분의 동물의 경우에 수컷이 암컷보다 크다.

14 You can trust him because he is a man of _____.

그는 명예를 존중하는 사람이므로 너는 그를 믿어도 된다.

15 I can _____ on my work better when the weather's sunny.

나는 날씨가 좋으면 일할 때 훨씬 더 집중을 잘 할 수 있다.

C 설명과 일치하는 단어를 골라 ✓표시를 하시오.

16	rural areas	□downtown	□countryside
17	to focus on something that you are doing	□convenient	□concentrate
18	coming by good luck or favorable chance	□fortunate	□unlucky
19	something not easily done or understood	□honor	□difficulty
20	not having positive opinions about something	□negative	□nearly

DAY 03

나는 외계인이 있다고 믿어.

분명 저 UFO가 외계인과 relate되어 있을 거야!

먼저 basic 과학 지식부터 쌓는 게 어때?

🔊 MP3 파일을 들으면서
단어를 따라 읽어보세요.

---

031 **basic**
☐☐ [béisik]

형 기본적인, 기초의 (= fundamental)
명 기초

Basic science is very important.
▒▒▒▒▒ 과학은 매우 중요하다.

---

032 **site**
☐☐ [sait]

명 터, 부지; 유적

There are many historic **sites** in Greece.
그리스에는 역사 ▒▒▒▒▒ 가 많다.

historic site
역사 유적지

---

033 **career**
☐☐ [kəríər]

명 직업 (= job); 경력

He began his **career** as an actor.
그는 배우로서 ▒▒▒▒▒ 을 시작했다.

career woman
직장 여성

---

034 object
동[əbdʒékt]
명[ábdʒekt]

동 반대하다
명 물건, 대상; 목적

I object to your opinion.
나는 당신의 의견에 ▨▨▨▨▨.

➕ objection 명 반대, 이의
↔ agree 동 동의하다

발음주의

035 opposite
[ápəzit]

형 반대의 (= contrary)

North and south are opposite directions.
북과 남은 ▨▨▨▨ 방향이다.

036 relate
[riléit]

동 관련[관계]시키다, 관련[관계]있다 (= concern)

This letter relates to business.
이 편지는 사업과 ▨▨▨▨▨.

➕ relative 형 상대적인 명 친척

037 advance
[ədvǽns]

ad[to]+v[victory]+ance
승리를 향해 → 나아가다

동 나아가다, 전진[진보]시키다 (= improve)
명 진보

Medical technology has been advanced considerably.
의학 기술은 상당히 ▨▨▨▨▨.

038 settle
[sétl]

동 정착하다, 자리 잡다

We settled in Los Angeles.
우리는 로스앤젤레스에 ▨▨▨▨▨.

➕ settlement 명 정착, 이민
settler 명 정착민

039 therefore
[ðéərfɔ̀:r]

부 그러므로 (= thus)

I think, therefore I am.
나는 생각한다. ▨▨▨▨▨ 나는 존재한다.

040 recognize
[rékəgnàiz]

통 알아보다, 인식하다

She didn't **recognize** my face.
그녀는 내 얼굴을 ░░░░░░ 못했다.

➕ recognition 명 인식

041 protest
동[prətést]
명[próutest]

pro[forth]+test[testify]
앞에서 증명하다 → 항의하다

통 항의하다, 반대하다 (= oppose)
명 항의

They're **protesting** the war in Iraq.
그들은 이라크에서의 전쟁에 대해 ░░░░░░ 있다.

➕ protester 명 시위자

042 audience
[ɔ́:diəns]

명 청중, 관객 (= spectator)

The movie attracted a large **audience**.
그 영화는 많은 ░░░░░░ 을 끌었다.

043 be pleased with

···에 만족하다 (= be satisfied with)

I'm **pleased with** the results.
나는 그 결과에 ░░░░░░ .

044 believe in

···을 믿다 (= have faith in, trust)

I **believe in** God.
나는 신의 존재를 ░░░░░░ .

045 provide ~ for ···

···에게 ~을 제공하다 (= supply)

We will **provide** excellent services **for** you.
우리는 당신에게 훌륭한 서비스를 ░░░░░░ 것이다.

Get More object의 다양한 뜻

1 **object** 명 물건, 대상, 목적
an **object** of study
연구 대상

2 **object** 통 반대하다
I **object** to your idea!
나는 당신 생각에 반대합니다!

DAY 03 | Wrap-up Test

ANSWERS p. 274

Day 03

A 영어는 우리말로, 우리말은 영어로 쓰시오.

1 basic _____
2 provide ~ for ⋯ _____
3 be pleased with _____
4 recognize _____
5 opposite _____

6 ⋯을 믿다 _____
7 정착하다, 자리 잡다 _____
8 항의하다, 항의 _____
9 나아가다, 진보 _____
10 터, 부지, 유적 _____

B 빈칸에 알맞은 단어를 [보기]에서 골라 쓰시오. (필요시 형태를 고칠 것)

보기   basic   career   audience   therefore   protest

11 This is a difficult but _____ problem.
이것은 어렵지만 근본적인 문제이다.

12 Choose your _____ when you graduate from school.
학교를 졸업할 때 네 직업을 선택하라.

13 A lot of people _____ the new working hours.
많은 사람들이 새로운 근무 시간에 대해 항의했다.

14 A is equal to B, B is equal to C, _____ A is equal to C.
A는 B이고, B는 C이므로, 그러므로 A는 C이다.

15 Making a speech in front of a large _____ is not easy.
많은 청중 앞에서 연설하는 것은 쉽지 않다.

C 관계있는 것끼리 선으로 연결하시오.

16 opposite •   • ⓐ to go or move something forward
17 site •   • ⓑ completely different
18 relate •   • ⓒ to establish connections or associations with
19 advance •   • ⓓ a piece of ground that is used for a particular purpose
20 recognize •   • ⓔ to identify someone or something from previous experience

Day 03 **19**

🔊 MP3 파일을 들으면서
단어를 따라 읽어보세요.

046
☐☐ **gain**
[ɡein]

동 얻다
명 이익, 얻는 것

No pain, no gain.
고통 없이는 ░░░░░░ 도 없다. (고진감래, 苦盡甘來)

↔ lose 동 잃다

047
☐☐ **general**
[dʒénərəl]

형 일반적인 (= common)
명 장군

A lot of libraries are open to the general public.
많은 도서관들이 ░░░░░░ 대중에 개방되어 있다.

➕ in general 일반적으로
↔ specific 형 특수한

048
☐☐ **goods**
[ɡudz]

명 상품 (= products)

How can we find the best price for the goods?
어떻게 우리가 이 ░░░░░░ 의 적정 가격을 찾을 수 있을까?

sporting goods
스포츠 상품

Day 04

049 compete
[kəmpíːt]

강세주의

동 경쟁하다, 겨루다

No painting can compete with this one.
어떤 그림도 이것과 ▨▨▨▨ 수 없다.

➕ competition 명 경쟁, 시합

050 doubt
[daut]

발음주의

명 의심
동 의심하다

I have no doubt of his success.
나는 그의 성공을 ▨▨▨▨ 하지 않는다.

➕ doubtful 형 의심스러운

051 effective
[iféktiv]

형 효과적인, 유효한 (= efficient, useful)

This medicine is effective against cancer.
이 약은 암에 ▨▨▨▨ 이다.

➕ effect 명 효과
↔ ineffective 형 효과 없는

052 elect
[ilékt]

동 선거하다, 선출하다 (= vote for, choose)

Obama was elected the 44th president of the United States.
오바마가 44대 미국 대통령으로 ▨▨▨▨.

➕ election 명 선거

053 fright
[frait]

명 공포 (= fear), 놀람

To hide my fright I asked a question.
▨▨▨▨를 감추기 위해 나는 질문을 했다.

➕ frighten 동 놀라게 하다

054 explore
[iksplɔ́ːr]

동 탐험하다, 탐구하다

Astronauts explore space.
우주인은 우주를 ▨▨▨▨.

➕ exploration 명 탐험

space exploration
우주탐험

055 grant
[grænt]

图 승인하다 (= allow), 허가하다, 주다 (= give)
图 승인, 허가

My parents granted me to play video games.
부모님은 내게 비디오 게임을 하도록 [   ].

강세주의

056 determine
[ditə́ːrmin]

de[down] + termine[end]
아래로 끝내다 → 결정하다

图 결정하다, 결심하다 (= decide)

The price of our new product will be determined today.
우리 신제품의 가격이 오늘 [   ] 것이다.

➕ determination 图 결정

057 govern
[gʌ́vərn]

图 다스리다, 통치하다 (= rule)

The new president will govern our country for next 5 years.
새 대통령이 앞으로 5년간 우리나라를 [   ] 될 것이다.

➕ government 图 정부

058 make a mistake

실수하다

I'm sorry. I made a mistake.
죄송합니다. 제가 [   ].

059 turn up

나타나다 (= appear, show up)

Many people turned up for the event.
많은 사람들이 그 행사에 [   ].

060 look down on

…을 멸시하다 (= despise)

You should not look down on others.
너는 다른 사람을 [   ] 안 된다.

Get More good *vs.* goods

1 **good** 图 좋은, 착한
a **good** deed 선행

2 **goods** 图 상품
consumer **goods** 소비재

ANSWERS p. 274

A 영어는 우리말로, 우리말은 영어로 쓰시오.

1	compete _____	6	의심, 의심하다 _____
2	determine _____	7	다스리다, 통치하다 _____
3	turn up _____	8	…을 멸시하다 _____
4	fright _____	9	일반적인, 장군 _____
5	make a mistake _____	10	얻다, 이익, 얻는 것 _____

B 빈칸에 알맞은 단어를 [보기]에서 골라 쓰시오. (필요시 형태를 고칠 것)

보기	grant	explore	goods	elect	effective

11 Let's _____ this island.
이 섬을 탐험해 보자.

12 They _____ a new president.
그들은 새 대통령을 선출했다.

13 The most _____ defense is offense.
가장 효과적인 방어는 공격이다.

14 We are selling _____ at discount prices.
우리는 할인 가격에 상품을 판매하고 있다.

15 The university _____ a scholarship to talented students.
그 대학은 재능이 있는 학생들에게 장학금을 수여한다.

C 설명하는 단어를 [보기]에서 골라 쓰시오.

보기	determine	govern	fright	compete	gain

16 to get something useful or necessary _____

17 to come to a decision or to officially decide something _____

18 a sudden feeling of shock and fear _____

19 to officially and legally control a country _____

20 to do an activity with others and try to do better than they do _____

 MP3 파일을 들으면서
단어를 따라 읽어보세요.

---

061 **pride**
□□ [praid]

명 자존심 (= self-respect), 자랑; 자만 (= arrogance)

Her rude manner injured my pride.
그녀의 무례한 태도는 나의 [   ]을 손상시켰다.

➕ proud 형 자랑스러운
  pride oneself on …을 자랑하다

---

062 **law**
□□ [lɔː]

명 법, 법칙 (= rule)

Do not break the law.
[   ]을 어기지 마라.

➕ lawyer 명 변호사

law books
법률 서적

---

063 **realistic**
□□ [rìːəlístik]

형 현실적인 (= practical)

Her painting is very realistic.
그녀의 그림은 매우 [   ]이다.

↔ unrealistic 형 비현실적인

---

064 recent
□□
[rí:snt]

형 최근의 (= current)

I have a recent picture of her.
나는 그녀의 [   ] 사진을 가지고 있다.

➕ recently 💬 최근에
↔ old 형 오래된

065 replace
□□
[ripléis]

동 교체하다 (= substitute), 대신하다

Old desks were replaced with new ones.
오래된 책상들은 새로운 책상으로 [   ].

➕ replacement 명 교체

066 slave
□□
[sleiv]

명 노예

Lincoln freed the slaves.
링컨은 [   ]를 해방시켰다.

➕ slavery 명 노예 제도
↔ master 명 주인

강세주의

067 increase
□□
동 [inkrí:s]
명 [ínkri:s]

in[in] + crease[grow]
안으로 자라다 → 증가하다

동 증가하다 (= grow), 증가시키다
명 증가

Low price increases demand.
낮은 가격은 수요를 [   ].

↔ decrease 동 감소하다 명 감소

068 population
□□
[pàpjəléiʃən]

명 인구, 주민

The population of Korea is about 48 million.
한국의 [   ]는 약 4천 8백만 명이다.

069 sail
□□
[seil]

sailboat
돛단배

동 항해하다
명 항해 (= voyage)

This ship will sail for Korea today.
이 배는 오늘 한국으로 [   ] 것이다.

➕ sailor 명 선원

070 prefer
[priféːr]

통 선호하다

I **prefer** tea to coffee.
나는 커피보다 차를 ░░░░░░░░.

➕ preference 명 선호

071 refer
[riféːr]

re[again] + fer[bring]
다시 가져오다 → 언급하다

통 부르다, 언급하다 (= mention)

Many people **refer** to the world as the Global Village.
많은 사람들은 세계를 지구촌이라고 ░░░░░░░░.

072 otherwise
[ʌ́ðərwàiz]

부 (만약) 그렇지 않으면, 다른 방법으로 (= or else)

Leave now, **otherwise** you will be late.
당장 떠나라, ░░░░░░ 지각할 것이다.

073 get rid of

···을 제거하다 (= eliminate)

Get rid of that dangerous gun.
저 위험한 총을 ░░░░░░░.

074 (every) now and then

때때로, 가끔 (= occasionally, from time to time, once in a while)

He eats out with his family **every now and then**.
그는 가족과 함께 ░░░░░░ 외식한다.

075 consist in

···에 있다 (= lie in)

Happiness **consists in** contentment.
행복은 만족에 ░░░░░░.

Get More recent *vs.* resent

1 **recent** [ríːsnt] 형 최근의
a **recent** event
최근의 사건

2 **resent** [rizént] 통 (···에 대해) 분개하다
resent an insult
모욕에 대해 분개하다

Wrap-up **T**est

✐ ANSWERS p. 275

A 영어는 우리말로, 우리말은 영어로 쓰시오.

1 slave   _____
2 otherwise   _____
3 now and then   _____
4 get rid of   _____
5 population   _____

6 …에 있다   _____
7 자존심, 자만, 자랑   _____
8 최근의   _____
9 항해하다, 항해   _____
10 부르다, 언급하다   _____

B 빈칸에 알맞은 단어를 [보기]에서 골라 쓰시오. (필요시 형태를 고칠 것)

보기	increase	prefer	replace	law	realistic

11 This is the _____ prediction.
이것은 현실적인 예측이다.

12 I _____ milk to orange juice.
나는 오렌지 주스보다 우유를 더 선호한다.

13 _____ broken parts with new ones.
깨진 부분은 새 것으로 교체해라.

14 Criminals are people who broke the _____.
범죄자들이란 법을 어긴 사람들이다.

15 We have to _____ production to meet demand.
우리는 수요를 충족시키기 위해 생산을 늘려야 한다.

C 설명하는 단어를 [보기]에서 골라 쓰시오.

보기	population	pride	slave	refer	sail

16 to travel in a boat or ship   _____
17 to mention a particular subject   _____
18 a state or feeling of being proud   _____
19 a person who is legally owned by someone else   _____
20 the total number of people inhabiting a specific area   _____

✎ ANSWERS p. 275

다음 우리말에 맞게 빈칸에 주어진 철자로 시작하는 단어를 쓰시오.

DAY 01

1 성공담   a s_____ story
2 유학 가다   study a_____
3 근대사   m_____ history
4 군대에 복무하다   serve in the a_____
5 진실을 말하다   tell the t_____
6 있음직한 결과   a p_____ result

DAY 02

7 암컷 원숭이   f_____ monkeys
8 치명적인 질병   a fatal d_____
9 부정적 반응   a n_____ reaction
10 조금   a little b_____
11 학습 장애   a learning d_____
12 스승을 공경하다   h_____ one's master

DAY 03

13 반대편   the o_____ side
14 과학적 진보   the scientific a_____
15 건설 현장   a construction s_____
16 대상 청중   a target a_____
17 기본적 욕구   b_____ needs
18 미확인 비행물체(UFO)   Unidentified Flying O_____

DAY 04

19 비싼 상품   expensive g_____
20 의심할 여지없이   beyond d_____
21 체중이 늘다   g_____ weight
22 일반 독자   a g_____ reader
23 권리를 부여하다   g_____ a right
24 통치 능력   ability to g_____

DAY 05

25 인구 증가   p_____ growth
26 법률 회사   a l_____ firm
27 오만과 편견   p_____ and prejudice
28 최근의 사건   a r_____ event
29 현실적 판단   r_____ judgment
30 노예를 해방시키다   set free a s_____

Zoom In

어원 I 접두사

work

overwork

be-	make, by …하게 만들다, … 옆에	**become** 동 …이 되다 **belong** 동 …에 속하다 예 **become** rich 부유해지다
con-	together, with 함께	**consequence** 명 결과 **consist** 동 구성하다 예 a logical **consequence** 논리적인 결과
fore-	beforehand, front, before 미리, 앞, 이전	**foretell** 동 예언하다 **forecast** 동 예보하다 명 예보 예 a weather **forecast** 일기 예보
over-	excessively, over, beyond 지나친, 너무, 넘어서	**overcome** 동 극복하다 **overwork** 동 과로하다 예 **overcome** difficulties 어려움을 극복하다
pre-	before, beforehand 전에, 미리, 앞에	**predict** 동 예언하다 **preview** 명 시사회, 예고편 예 **predict** the future 미래를 예언하다
re-	again 다시	**recover** 동 회복하다 **replace** 동 교체하다 예 **recover** health 건강을 회복하다
de-	down 아래	**depress** 동 낙담시키다 **decrease** 동 감소시키다 예 **decrease** pressure 압력을 감소시키다

DAY 06

MP3 파일을 들으면서 단어를 따라 읽어보세요.

---

076 □□ **slide**
[slaid]

slide – slid – slid

동 미끄러지다
명 미끄러짐

The runner slid into second base.
주자는 2루로 ______.

---

077 □□ **smooth**
[smu:ð]

형 매끄러운
동 부드럽게 하다

She has smooth skin.
그녀는 ______ 피부를 가지고 있다.

+ smoothly 부 매끄럽게
↔ rough 형 거친

---

078 □□ **upper**
[ʌ́pər]

upper deck
윗갑판

형 위쪽의, 상위의 (= higher)

There is a Korean restaurant on the upper floor.
______ 층에 한식당이 있습니다.

↔ lower 형 아래쪽의

079 spirit
[spírit]

🅝 정신, 영혼 (= soul)

It is impossible to destroy the human spirit.
인간의 |||||||||||||을 파괴하는 것은 불가능하다.

➕ spiritual 🅗 영적인

080 suffer
[sΛ́fər]

🅥 고통을 겪다, 괴로워하다

He is still suffering from a headache.
그는 아직도 두통으로 ||||||||||| 있다.

➕ suffering 🅗 고통, 고난

081 survive
[sərváiv]

sur[over] + vive[live]
한도 이상 살다 → 생존하다

🅥 살아남다, 생존하다

He survived the accident.
그는 사고에서 |||||||||||.

➕ survival 🅝 생존
↔ die 🅥 죽다

082 switch
[switʃ]

🅥 전환하다, 교환하다
🅝 스위치

The two boys switched their lunch boxes.
두 소년은 점심 도시락을 |||||||||||.

강세주의

083 technique
[tekní:k]

🅝 기술 (= skill), 기법, 수법

He has great shooting technique.
그는 뛰어난 슈팅 ||||||||||| 을 가지고 있다.

➕ technician 🅗 기술자

084 weapon
[wépən]

🅝 무기

A gun is a dangerous weapon.
총은 위험한 ||||||||||| 이다.

nuclear weapon
핵무기

085 unless
[ənlés]

집 …이 아닌 한, …하지 않는 한

I will be there unless it rains.
나는 비가 오지 ▨▨▨▨ 그곳에 갈 것입니다.

086 whatever
[hwatévər]

대 …은 무엇이든지

Do whatever you like.
네가 좋아하는 ▨▨▨ 해라.

강세주의

087 transport
동 [trænspɔ́ːrt]
명 [trǽnspɔːrt]

trans[across] + port[carry]
가로질러 옮기다 → 수송하다

동 수송하다
명 수송

Goods were transported from Busan to Seoul.
상품들은 부산에서 서울로 ▨▨▨▨▨.

✚ transportation 명 탈것, 교통수단

088 fail in

…에 실패하다

They failed in reaching an agreement.
그들은 합의하는 데 ▨▨▨▨.

089 in addition to *n*.

…에 더해서, …외에 또

Any physical activity in addition to what you usually do will use extra calories.
평소에 하는 것 ▨▨▨▨ 신체 활동은 추가적인 열량을 소모할 것이다.

090 hand in hand

손을 맞잡고 (= holding hands), 제휴하여

Money and power go hand in hand.
돈과 권력은 ▨▨▨▨ 간다.

Get More　slide *vs.* slip

1 slide 동 미끄러지다
slide down the hill
비탈을 미끄러져 내려가다

2 slip 동 (실수로) 미끄러지다
slip on the ice and fall
빙판에서 미끄러져 넘어지다

DAY 06 Wrap-up Test

✎ ANSWERS p. 275

A 영어는 우리말로, 우리말은 영어로 쓰시오.

1	fail in	_____	6	···은 무엇이든지	_____
2	slide	_____	7	손을 맞잡고, 제휴하여	_____
3	spirit	_____	8	위쪽의, 상위의	_____
4	in addition to	_____	9	···이 아닌 한	_____
5	survive	_____	10	전환하다, 교환하다	_____

B 빈칸에 알맞은 단어를 [보기]에서 골라 쓰시오. (필요시 형태를 고칠 것)

보기	suffer	transport	weapon	technique	smooth

11 Silk is very _____.

비단은 매우 부드럽다.

12 He _____ a tragic accident.

그는 비극적인 사고를 겪었다.

13 A knife is a dangerous _____.

칼은 위험한 무기이다.

14 They _____ relief goods to the town.

그들은 구호물품을 마을로 수송했다.

15 New _____ are constantly being developed.

새로운 기술들이 끊임없이 개발되고 있다.

C 설명하는 단어를 [보기]에서 골라 쓰시오.

보기	slide	spirit	survive	upper	switch

16 at a higher position or level _____

17 to continue to live or exist after an accident or war _____

18 the non-physical part of a person _____

19 to move easily and without interruption over a surface _____

20 to change suddenly or completely, especially from one
thing to another _____

DAY 07

🔊 MP3 파일을 들으면서
단어를 따라 읽어보세요.

---

091 freedom
[fríːdəm]

free[free] + dom[state]
자유로운 상태 → 자유

명 자유 (= liberty)

We have freedom of speech.
우리는 언론의 ░░░░░░가 있다.

➕ free 형 자유로운

---

092 breast
[brest]

double-breasted jacket
겹여밈 재킷

명 가슴 (= chest)

She punched his breast.
그녀는 그의 ░░░░░░을 쳤다.

---

093 available
[əvéiləbl]

형 이용할 수 있는 (= usable)

There are no seats available now.
지금 ░░░░░░ 좌석이 없습니다.

➕ availability 명 유용성
↔ unavailable 형 이용할 수 없는

---

094 achieve
□□
[ətʃíːv]

동 성취하다, 이루다 (= accomplish)

He worked hard to achieve these goals.
그는 이 목표들을 [   ] 위해 열심히 노력했다.

✚ achievement 명 성취
↔ fail 동 실패하다

095 confidence
□□
[kánfədəns]

con[together] + fidence[trust]
함께 신뢰함 → 자신감

동 신임 (= faith, trust); 자신감

I have confidence in you.
나는 너를 [   ] 한다.

✚ confident 형 자신 있는

096 argue
□□
[áːrgjuː]

동 논하다 (= discuss), 언쟁하다 (= dispute)

The kids always argue over which TV program to watch.
아이들은 어느 TV 프로그램을 볼 것인가에 대해 항상 [   ].

✚ argument 명 논쟁, 언쟁

097 feature
□□
[fíːtʃər]

명 특징 (= characteristic); 얼굴 생김새
동 특색으로 삼다

The best feature of this car is its red color.
이 차의 가장 큰 [   ]은 붉은 색깔이다.

098 aim
□□
[eim]

동 겨냥하다 (= point); 목표로 삼다
명 겨냥, 목적

A hunter quietly aimed at a target.
사냥꾼은 조용히 목표물을 [   ].

099 border
□□
[bɔ́ːrdər]

명 국경, 경계, 가장자리
동 접경하다

They escaped over the border.
그들은 [   ]을 넘어 탈출했다.

borderline
국경선

100 debate
[dibéit]

⑧ 논쟁하다 (= discuss, argue)
⑲ 토론, 논쟁

Students are still debating.
학생들은 아직도 ░░░░ 있다.

---

101 awkward
[ɔ́:kwərd]

⑲ 어색한, 서투른

I feel awkward with her.
나는 그녀와 같이 있으면 ░░░ 진다.

↔ comfortable ⑲ 편안한

---

102 appreciate
[əprí:ʃièit]

⑧ 감사하다; 가치를 인정하다 (= value); 감상하다

I really appreciate your help.
도와주셔서 진심으로 ░░░░░░.

✚ appreciation ⑲ 진가; 감상; 감사

---

103 first of all

우선, 무엇보다도 (= firstly)

First of all, I'd like to thank you for coming.
░░░░, 여러분께서 와 주신 것에 대해 감사드립니다.

---

104 get away

도망치다 (= escape), 떠나다 (= leave)

You can never get away from me.
너는 절대로 내게서 ░░░░░ 수 없어.

---

105 have difficulty in -ing

…을 어려워하다, …하는 데 어려움을 겪다

Kids have difficulty in tying their shoelaces.
어린이들은 신발 끈을 묶는 것을 ░░░░░.

Get More   appreciate의 다양한 뜻

1 ⑧ 감상하다
appreciate art
예술을 감상하다

2 ⑧ 감사하다
I appreciate it.
감사합니다.

DAY 07 Wrap-up Test

✎ ANSWERS p. 275

Day 07

A 영어는 우리말로, 우리말은 영어로 쓰시오.

1	breast	_____	6	겨냥하다, 목표로 삼다 _____
2	freedom	_____	7	어색한, 서투른 _____
3	get away	_____	8	이용할 수 있는 _____
4	appreciate	_____	9	우선, 무엇보다도 _____
5	argue	_____	10	…을 어려워하다 _____

B 빈칸에 알맞은 단어를 [보기]에서 골라 쓰시오. (필요시 형태를 고칠 것)

보기	achieve	debate	feature	confidence	border

11 He _____ a victory.

그는 승리를 거두었다.

12 The river lies on the _____ between the US and Mexico.

그 강은 미국과 멕시코 사이의 국경 지역에 있다.

13 They _____ on various issues around the world.

그들은 세계의 다양한 이슈들에 대해 논쟁했다.

14 This new tablet PC has many new _____.

이 새로운 태블릿 피시는 많은 새로운 특징들을 가지고 있다.

15 You have to have _____ in yourself to succeed.

너는 성공하기 위해서 네 안에 자신감을 가져야 한다.

C 설명하는 단어를 [보기]에서 골라 쓰시오.

보기	available	argue	achieve	aim	freedom

16 to try or intend to get something   _____

17 able to be obtained, used or reached   _____

18 the state of being free   _____

19 to disagree with someone in words   _____

20 to successfully complete something or get a good result   _____

◀꒰) MP3 파일을 들으면서
단어를 따라 읽어보세요.

---

106 **chief**
☐☐
[tʃiːf]

명 우두머리 (= leader)
형 최고의 (= primary)

He was appointed **chief** executive officer.
그는 ▨▨▨▨ 경영자로 임명되었다.

---

107 **escape**
☐☐
[iskéip]

동 도망치다 (= get away), 벗어나다
명 도망, 탈출

Make sure that the cat doesn't **escape**.
그 고양이가 절대로 ▨▨▨▨ 못하도록 해라.

---

108 **cure**
☐☐
[kjuər]

mind cure
정신 요법

명 치료(법)
동 치료하다 (= heal, remedy)

They found a **cure** for cancer.
그들은 암의 ▨▨▨▨ 을 발견했다.

➕ curable 형 치료할 수 있는

---

109 **advise**
[ædváiz]

동 충고하다, 권하다

The doctor advised me to quit smoking.
의사는 내게 담배를 끊으라고 ▨▨▨▨▨.

✚ advice 명 충고

---

110 **contrast**
동[kəntrǽst]
명[kántræst]

동 대조하다, 대조되다
명 대조, 차이 (= difference)

This color contrasts well with green.
이 색상은 녹색과 잘 ▨▨▨▨▨.

---

111 **damage**
[dǽmidʒ]

명 손해 (= harm)
동 손해를 입히다 (= injure)

The storm does a lot of damage to the crops.
태풍은 작물에 큰 ▨▨▨▨▨를 입힌다.

---

112 **award**
[əwɔ́:rd]

동 수여하다
명 상 (= prize, reward)

He was awarded the gold medal.
그는 금메달을 ▨▨▨▨▨.

---

113 **decrease**
동[dikrí:s]
명[dí:kri:s]

de[down]+crease[grow]
아래로 자라다 → 감소하다

동 감소하다 (= lessen)
명 감소

Our share of the market has decreased
sharply this year.
우리의 시장 점유율이 올해 급격하게 ▨▨▨▨▨.

↔ increase 동 증가하다 명 증가

---

114 **demand**
[dimǽnd]

de[completely]+mand[order]
완전한 주문 → 요구

명 요구, 수요
동 요구하다 (= claim, request),
　　필요로 하다 (= need)

the law of supply and demand
▨▨▨▨▨와 공급의 법칙

↔ supply 명 공급 동 공급하다

115 brilliant
[bríljənt]

brilliant jewel
빛나는 보석

형 빛나는 (= bright); 훌륭한, 총명한

The singer made a brilliant performance.
그 가수는 공연을 ▨▨▨▨▨ 했다.

➕ brilliance 명 총명함; 광택

강세주의

116 independence
[ìndipéndəns]

명 독립

Independence Day
▨▨▨▨▨▨ 기념일 (7월 4일, 미국)

➕ independent 형 독립적인
↔ dependence 명 의존

117 consume
[kənsúːm]

통 소비하다 (= spend), 다 써 버리다

My car consumes a lot of gas.
내 차는 휘발유를 많이 ▨▨▨▨▨▨.

➕ consumer 명 소비자

118 in turn

차례로, 교대로 (= by turns, by rotation)

I will hear you all in turn.
나는 ▨▨▨▨▨ 너희들의 말을 듣겠다.

119 make out

…을 이해하다 (= figure out, understand), 알아보다

Can you make out what that sign says?
저 표시가 무슨 뜻인지 ▨▨▨▨▨ 수 있니?

120 on behalf of

…을 대신하여, 대표하여

His secretary attended the meeting on behalf of him.
그의 비서가 그를 ▨▨▨▨▨ 모임에 참석했다.

 Get More advise *vs.* advice

1 advise 통 충고하다
He **advised** me not to eat sweets.
그는 내게 단것을 먹지 말라고 충고했다.

2 advice 명 충고
a piece of **advice**
충고 한마디

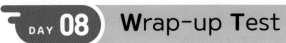
✐ ANSWERS p. 276

A 영어는 우리말로, 우리말은 영어로 쓰시오.

1	brilliant	_____	6	수요, 요구, 요구하다	_____

1 brilliant _____   6 수요, 요구, 요구하다 _____

2 make out _____   7 우두머리, 최고의 _____

3 decrease _____   8 손해, 손해를 입히다 _____

4 independence _____   9 대조하다, 대조되다 _____

5 on behalf of _____   10 차례로, 교대로 _____

B 빈칸에 알맞은 단어를 [보기]에서 골라 쓰시오. (필요시 형태를 고칠 것)

보기	award	escape	cure	advise	consume

11 He _____ from prison.
그는 감옥에서 탈출했다.

12 Big cars _____ too much gas.
큰 차들은 너무 많은 휘발유를 소비한다.

13 Scientists found the _____ for cancer.
과학자들은 암을 위한 치료법을 발견했다.

14 He received a(n) _____ for academic excellence.
그는 학문적 탁월함으로 상을 받았다.

15 My father _____ me to keep trying.
나의 아버지는 나에게 계속 시도해 보라고 조언하셨다.

C A : B = C : D의 관계가 되도록 알맞은 단어를 [보기]에서 골라 쓰시오.

보기	brilliant	cure	decrease	demand	chief

16 buy : sell = _____ : supply

17 subtract : add = _____ : increase

18 forward : backward = _____ : stupid

19 problem : solution = disease : _____

20 rural areas : countryside = leader : _____

DAY **09**

어제 길에서 나의 옛 여자친구를 come across했어.

그녀는 매우 attractive했어.

그런데 갑자기 나에게 청첩장을 주지 뭐야!

그건 나에게 disaster였어…

🔊 MP3 파일을 들으면서
단어를 따라 읽어보세요.

121
□□ **eager**
[íːɡər]

형 …을 열망하는, 열성적인 (= enthusiastic)

He was eager to know the truth.
그는 진실을 알아내길 ░░░░░░░░다.

➕ eagerness 명 열의

122
□□ **fear**
[fiər]

동 두려워하다, 걱정하다
명 공포, 불안 (= anxiety)

He fears nothing.
그는 아무것도 ░░░░░░░ 않는다.

➕ fearful 형 두려운

fear of heights
고소공포증

123
□□ **due**
[djuː]

형 지불기일이 된, …하기로 되어 있는

The due date for this homework is next Monday.
이 숙제의 ░░░░░░░은 다음 주 월요일이다.

---

124 ceremony
[sérəmòuni]

명 행사, 의식

She began to cry after the graduation ceremony.

그녀는 졸업 ▓▓▓▓▓ 이 끝난 후 울기 시작했다.

125 destroy
[distrɔ́i]

동 부수다, 파괴하다

An earthquake destroyed the entire city.

지진이 그 도시 전체를 ▓▓▓▓▓▓.

✚ destruction 명 파괴
↔ construct 동 세우다, 건설하다

126 entertain
[èntərtéin]

enter[inter] + tain[hold]
사이에 두다 → 즐겁게 하다

동 즐겁게 하다 (= amuse); 대접하다

The magician will entertain the audience with tricks.

그 마술사는 마술로 관중을 ▓▓▓▓▓ 것이다.

✚ entertainment 명 오락
entertainer 명 연예인
↔ bore 동 지루하게 하다

127 familiar
[fəmíljər]

형 친숙한, 잘 아는 (= well-known)

He is familiar with antiques.

그는 골동품에 대해 ▓▓▓▓▓ 다.

↔ unfamiliar 형 생소한

128 duty
[djú:ti]

명 의무 (= responsibility), 임무; 세금

It is my duty to protect my family.

나의 가족을 보호하는 것은 나의 ▓▓▓▓▓ 이다.

129 attractive
[ətrǽktiv]

형 매력적인 (= charming)

That actress is very attractive.

저 여배우는 매우 ▓▓▓▓▓ 이다.

✚ attract 동 유혹하다
↔ ugly 형 못생긴, 추한

130 disaster
[dizǽstər]

명 재난, 재앙

Floods are one of the most common natural disasters in Korea.
홍수는 한국에서 가장 흔한 자연   중 하나이다.

131 evidence
[évidəns]

명 증거 (= proof), 흔적

His look is the evidence that he is lying.
그의 표정이 그가 거짓말을 하고 있다는   이다.

➕ evident 형 명백한

발음주의

132 exhibit
[igzíbit]

ex[out] + hibit[hold]
밖으로 개최하다 → 전시하다

동 전시하다 (= show, display)
명 전시, 전시품

She exhibited her paintings at a gallery.
그녀는 그녀의 그림을 미술관에   .

➕ exhibition 명 전람회, 시범 경기

133 out of order

고장 난 (= broken)

This vending machine is out of order.
이 자동판매기는   .

134 point out

…을 지적하다 (= indicate)

He pointed out a problem.
그는 문제점을   .

135 come across

우연히 만나다 (= meet unexpectedly)

I came across an old classmate yesterday.
나는 어제 옛 동창을   .

Get More   duty의 다양한 뜻

1 명 의무, 책임
citizen's **duty**
시민의 의무

2 명 임무, 직무
in the line of **duty**
근무[공무] 중에

3 명 세금
duty free
면세

✎ ANSWERS p. 276

A 영어는 우리말로, 우리말은 영어로 쓰시오.

1 familiar ＿＿＿＿＿＿
2 disaster ＿＿＿＿＿＿
3 exhibit ＿＿＿＿＿＿
4 out of order ＿＿＿＿＿＿
5 come across ＿＿＿＿＿＿

6 증거, 흔적 ＿＿＿＿＿＿
7 두려워하다, 공포, 불안 ＿＿＿＿＿＿
8 지불기일이 된 ＿＿＿＿＿＿
9 …을 지적하다 ＿＿＿＿＿＿
10 즐겁게 하다, 대접하다 ＿＿＿＿＿＿

B 빈칸에 알맞은 단어를 [보기]에서 골라 쓰시오. (필요시 형태를 고칠 것)

| 보기 | attractive | duty | ceremony | eager | destroy |

11 The storm ＿＿＿＿＿＿ my village.
   그 태풍은 우리 마을을 파괴했다.

12 The graduation ＿＿＿＿＿＿ will begin soon.
   졸업식이 곧 시작될 것이다.

13 It is our ＿＿＿＿＿＿ to serve in the army.
   군대에서 복무하는 것은 우리의 의무이다.

14 Call me anytime. I'm ＿＿＿＿＿＿ to help you.
   언제든 연락하세요. 기꺼이 당신을 도와드리고 싶습니다.

15 Fashion models need to look ＿＿＿＿＿＿.
   패션 모델은 매력적으로 보일 필요가 있다.

C 설명과 일치하는 단어를 골라 ✓표시를 하시오.

16 having reached the date for payment ☐familiar ☐due
17 to show something in public ☐exhibit ☐entertain
18 an important social or religious event ☐duty ☐ceremony
19 something that makes you believe that
   something is true ☐evidence ☐eagerness
20 an extremely bad accident causing great
   loss of life, damage or hardship ☐fear ☐disaster

DAY 10

나는 curve볼을 던질 것이라 생각했어.

그런데 갑자기 직구가 날아오는 거야.

◀) MP3 파일을 들으면서
단어를 따라 읽어보세요.

순간 몸이 freeze되어 버렸어.

나를 맞추려고 intend한 게 분명해!

---

136 curve

[kəːrv]

curved line
곡선

명 곡선, 커브
동 …을 구부리다 (= bend)

His best pitch is a **curve** ball.
그의 최고 투구는   볼이다.

➕ curvy 형 휘어진, 굽은
↔ straight 명 일직선 형 곧은

---

137 lack

[læk]

동 부족하다, 결핍되다
명 부족, 결핍 (= shortage)

He **lacks** patience.
그는 인내심이   .

---

138 immediate

[imíːdiət]

형 즉각의 (= instant), 직접의 (= direct)

I need your **immediate** attention.
       집중해 주세요.

➕ immediately 부 당장

---

139 generous
[dʒénərəs]

형 관대한, 후한

It's very generous of you to forgive me.
저를 용서해 주시다니 참 ▨▨▨군요.

➕ generosity 명 관용
↔ selfish 형 이기적인

140 freeze
[friːz]

freeze - froze - frozen

동 얼다, 동결하다

Water will freeze in a few hours.
물은 몇 시간 내에 ▨▨▨ 것이다.

↔ melt 동 녹다

141 identify
[aidéntəfài]

identification card
신분증

동 확인하다, 식별하다 (= recognize); 동일시하다

Witnesses identified the criminal.
증인들은 범인을 ▨▨▨.

➕ identity 명 신원
identification 명 신원 확인, 신분증

142 growth
[grouθ]

명 성장, 발전 (= development, progress); 증가

Economic growth in Korea is stable.
한국의 경제 ▨▨▨은 안정적이다.

➕ grow 동 성장하다

발음주의

143 horizon
[həráizən]

명 지평선, 수평선 (= skyline)

The moon came up above the horizon.
달이 ▨▨▨ 위로 떠올랐다.

➕ horizontal 형 수평의

144 intend
[inténd]

in[toward] + tend[stretch]
향하여 뻗다 → 의도하다

동 …할 작정이다, 의도하다 (= plan, aim)

I intend to run for the president of the student council.
나는 학생회 회장 출마를 ▨▨▨.

➕ intention 명 의도, 의지

145 locate
[lóukeit]

통 …에 위치하다; (위치를) 찾아내다 (= find)

The 63 Building is **located** in Seoul.
63 빌딩은 서울에 ▨▨▨▨.

➕ location 명 위치

146 industry
[índəstri]

oil industry
석유 산업

명 공업, 산업

Shipbuilding is one of Korea's main **industries**.
조선은 한국의 주요 ▨▨▨▨ 중 하나다.

➕ industrial 형 산업의
industrious 형 근면한

147 associate
[əsóuʃièit]

통 연상하다, 관련시키다 (= relate)

We **associate** Einstein with the theory of relativity.
우리는 아인슈타인하면 상대성의 원리를 ▨▨▨▨.

➕ association 명 협회, 연관

148 rely on

…을 의지하다 (= depend on)

Some countries **rely on** foreign aid for their survival.
어떤 국가들은 생존을 위해 해외 원조에 ▨▨▨▨.

149 by oneself

혼자서, 단독으로 (= alone)

I did it all **by myself**.
나는 이것을 전부 ▨▨▨▨ 했다.

150 lead to *n.*

…에 이르다, 어떤 (결과를) 가져오다
(= result in, cause)

All roads **lead to** Rome.
모든 길은 로마에 ▨▨▨▨.

Get More   locate의 다양한 뜻

1 통 …에 위치하다
be **located** in Seoul
서울에 위치하다

2 통 (위치를) 찾아내다
locate him in Seoul
서울에서 그를 찾아내다

✎ ANSWERS p. 276

A 영어는 우리말로, 우리말은 영어로 쓰시오.

1 associate _____   6 공업, 산업 _____

2 freeze _____   7 …에 위치하다 _____

3 generous _____   8 곡선, …을 구부리다 _____

4 growth _____   9 부족하다, 부족, 결핍 _____

5 by oneself _____   10 …을 의지하다 _____

B 빈칸에 알맞은 단어를 [보기]에서 골라 쓰시오. (필요시 형태를 고칠 것)

보기	lead to	immediate	intend	horizon	identify

11 I _____ to escape.
나는 도망칠 작정이다.

12 This road will _____ my house.
이 길은 우리 집으로 이를 것이다.

13 The sun is rising above the _____.
태양이 지평선 위로 떠오르고 있다.

14 She _____ her husband's face from the picture.
그녀는 사진에서 남편의 얼굴을 확인했다.

15 People nowadays expect _____ results all the time.
요즘 사람들은 항상 즉각적인 결과를 기대한다.

C 관계있는 것끼리 선으로 연결하시오.

16 freeze •   • ⓐ to be short or have need of something

17 generous •   • ⓑ willing to give help or support

18 associate •   • ⓒ to become hardened into ice

19 growth •   • ⓓ to connect or bring into relation

20 lack •   • ⓔ an increase in amount, number or size

✎ ANSWERS p. 276

다음 우리말에 맞게 빈칸에 주어진 철자로 시작하는 단어를 쓰시오.

DAY **06**

1 경쟁심   a competitive s_____
2 상류층   the u_____ class
3 병을 앓다   s_____ from a disease
4 비밀 무기   a secret w_____
5 해상 운송   marine t_____
6 생존 기술   survival t_____s

DAY **07**

7 주요 특징   the main f_____
8 승리를 거두다   a_____ a victory
9 가용 자원   a_____ resources
10 표현의 자유   the f_____ of expression
11 유방암   b_____ cancer
12 열띤 토론   a heated d_____

DAY **08**

13 훌륭한 아이디어   a b_____ idea
14 아카데미상   the Academy A_____
15 뚜렷한 대비   sharp c_____
16 재산 피해   property d_____
17 수요와 공급   supply and d_____
18 최고 경영자(CEO)   C_____ Executive Officer

DAY **09**

19 자연 재해   a natural d_____
20 제출일   the d_____ date
21 두려움 없이   without f_____
22 과학적 증거   scientific e_____
23 병역 의무   military d_____
24 매력적인 제안   an a_____ proposal

DAY **10**

25 인구 증가   population g_____
26 자동차 산업   car i_____
27 직접적 원인   an i_____ cause
28 관대한 태도   a g_____ attitude
29 기술 부족   l_____ of skill
30 학습 곡선   a learning c_____

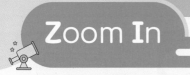

어원 Ⅱ **접두사**

ob/op- against, over 대항하여, 방해가 되어, … 위에	**obstacle** 명 장애물 **oppose** 동 반대하다 예 a giant **obstacle** 거대한 장애물
un- not, lack of …이 아닌, …이 부족한	**unreasonable** 형 불합리한 **unfortunate** 형 불운한 예 an **unreasonable** argument 불합리한 주장
in/im- not, lack of …이 아닌, …이 부족한	**impossible** 형 불가능한 **incapable** 형 …할 수 없는 예 an **impossible** mission 불가능한 임무
dis- not, opposite of …이 아닌, 반대의	**disagree** 동 의견을 달리하다 **dishonest** 형 정직하지 못한 예 a **dishonest** person 정직하지 못한 사람
ex- out 밖	**expose** 동 노출하다 **external** 형 외부의 예 an **external** debt 외채
out- 밖	**outcome** 명 결과 **outstanding** 형 눈에 띄는, 뛰어난 예 an **outstanding** result 뛰어난 결과
il- not, un …이 아닌	**illegal** 형 불법의 **illiterate** 형 읽고 쓸 줄 모르는 예 **illegal** parking 불법 주차

◀》 MP3 파일을 들으면서
단어를 따라 읽어보세요.

---

151 **logic**
[lɔ́dʒik]

logical argument
논리적인 주장

몡 논리 (= reason); 논리학

There is a leap in your logic.
당신의 ▨▨▨▨▨▨ 에는 비약이 있다.

➕ logical 혱 논리적인
logically 閉 논리적으로

---

152 **loose**
[luːs]

혱 풀린, 느슨한

Discipline in that school is loose.
그 학교의 규율은 ▨▨▨▨▨▨ 다.

➕ loosen 통 느슨해지다, 늦추다
loosely 閉 느슨하게

---

153 **mental**
[méntl]

혱 마음의, 정신의

He was sent to a mental hospital.
그는 ▨▨▨▨▨▨ 병원에 보내졌다.

↔ physical 혱 육체의

---

52 Part Ⅰ 빈출 어휘로 내신 잡기

154 moral
□□
[mɔ́rəl]

형 도덕상의, 윤리의 (= ethical)
명 교훈

Aesop's fables give moral lessons to children.
이솝우화는 어린이들에게   교훈을 준다.

➕ morality 명 도덕
↔ immoral 형 부도덕한

155 official
□□
[əfíʃəl]

형 공식적인 (= formal); 공무의
명 공무원

They received official notices to send their reports.
그들은 보고서를 보내라는   통지를 받았다.

↔ unofficial 형 비공식적인

official record
공식 기록

156 observe
□□
[əbzə́:rv]

동 관찰하다, 목격하다

The scientists observed the height of the sun all day.
과학자들은 하루 종일 태양의 고도를   .

➕ observation 명 관찰
observer 명 관찰자

157 nut
□□
[nʌt]

명 견과; 어려운 문제

The nut is very hard to crack.
     는 깨기가 아주 어렵다.

➕ nutty 형 견과 맛이 나는

158 occur
□□
[əkə́:r]

동 일어나다, 생기다 (= happen, take place);
머리에 떠오르다

This map indicates where the earthquake occurred.
이 지도는 어디서 지진이   는지를 알려 준다.

➕ occurrence 명 발생

159 remind
□□
[rimáind]

re[again] + mind
다시 기억에 있다 → 상기시키다

동 생각나게 하다, 상기시키다

He reminds me of his brother.
그는 내게 그의 남동생을   .

160 politics
[pálətiks]

명 정치; 정치학

I don't concern myself with politics.
나는 □□□□ 에 관여하지 않는다.

➕ political 형 정치의

발음주의

161 relative
[rélətiv]

명 친척
형 비교상의 (= comparative); 관계있는

He is my distant relative.
그는 나의 먼 □□□□ 이다.

➕ relate 통 관련시키다
　 relative to …에 관하여; …에 비례하여

162 prevent
[privént]

동 막다(= stop), (…을 하지 못하게) 방해하다

The snow prevented him from going out.
눈이 그가 외출하는 것을 □□□□.

➕ prevention 명 방해, 예방
　 preventable 형 막을 수 있는
↔ allow 통 허락하다

fire prevention
화재 예방

163 do one's best

최선을 다하다

We need to do our best to win this game.
우리는 이 경기를 이기기 위해 □□□□ 한다.

164 rid A of B

A에게서 B를 제거하다 (= remove)

If you rid him of money, he has nothing.
그에게서 돈을 □□□□ 그에게는 아무것도 없다.

165 in terms of

…의 측면에서, …의 견지에서

This is the best shopping mall in terms of price.
가격 □□□□ 여기가 최고의 쇼핑몰이다.

 Get More　　loose의 다양한 뜻

1 형 풀린
a loose cat
묶어 놓지 않은 고양이

2 형 헐거운
a loose sweater
헐렁한 스웨터

3 형 흔들리는
a loose tooth
흔들리는 치아

✎ ANSWERS p. 277

A 영어는 우리말로, 우리말은 영어로 쓰시오.

1	moral	_____	6	논리, 논리학	_____
2	rid A of B	_____	7	견과, 어려운 문제	_____
3	politics	_____	8	최선을 다하다	_____
4	loose	_____	9	친척, 비교상의	_____
5	in terms of	_____	10	막다, 방해하다	_____

B 빈칸에 알맞은 단어를 [보기]에서 골라 쓰시오. (필요시 형태를 고칠 것)

보기	mental	observe	remind	official	occur

11 Have you _____ an eclipse?

너는 일식을 관찰해 본 적이 있니?

12 Please _____ Susan to call me.

Susan에게 내게 전화해 달라고 상기시켜 주세요.

13 They didn't go through _____ channels.

그들은 공식적인 경로를 밟지 않았다.

14 Their attack will _____ without advance warning.

그들의 공격은 사전 경고 없이 일어날 것이다.

15 After several years of _____ illness, she lost all her friends.

몇 년간 정신병을 앓은 후에, 그녀는 모든 친구를 잃었다.

C 설명하는 단어를 [보기]에서 골라 쓰시오.

보기	loose	prevent	occur	logic	moral

16 to happen or take place _____

17 concerned with the rules of right conduct _____

18 not firmly held or fixed in place _____

19 the use of reason or the science of using reason _____

20 to stop something happening or to stop someone _____
   doing something

DAY 12

그 동작을 keep on하도록!

그만두고 싶은 마음을 overcome 하는 게 중요해~

도대체 이 동작의 purpose가 무엇이죠?

빠지…

잔말 말아!

언젠가 reward를 받게 될테니 걱정 말라구

툭

◀) MP3 파일을 들으면서 단어를 따라 읽어보세요.

166
☐☐ **reward**
[riwɔ́ːrd]

동 보답하다
명 보상, 상 (= prize)

His efforts were finally **rewarded**.
그의 노력이 마침내 ░░░░░░.

↔ punish 동 벌하다
 punishment 명 벌

167
☐☐ **route**
[ruːt]

명 길 (= road), 노선, 항로

We will place a new-model tanker on that **route**.
우리는 신형 유조선을 그 ░░░░░ 에 배치할 것이다.

168
☐☐ **overcome**
[òuvərkʌ́m]

overcome – overcame
– overcome

동 극복하다, 이기다 (= defeat)

I try very hard to **overcome** my prejudice.
나는 편견을 ░░░░░ 위해 매우 열심히 노력한다.

---

169 profession
[prəféʃən]

명 직업 (= occupation), 전문직

He chose the law as his **profession**.
그는 변호사를 그의   으로 선택했다.

➕ professional 형 직업의, 전문직의

170 quality
[kwáləti]

명 질, 품질

Their products are of very high **quality**.
그들의 제품은   이 매우 높다.

➕ qualify 동 …에게 자격을 주다
↔ quantity 명 양, 수량

Day
12

171 recommend
[rèkəménd]

동 추천하다, 권하다

He **recommended** me to the company.
그가 나를 그 회사에   .

➕ recommendation 명 추천

172 purpose
[pə́:rpəs]

pur[forth] + pose[put]
앞에 둠 → 목적

명 목적 (= aim); 의도 (= intention)

Fifty dollars will be enough for the **purpose**.
50달러면 그   을 위해 충분할 것이다.

173 regard
[rigá:rd]

동 …으로 여기다, 간주하다 (= consider)

He is **regarded** as the greatest scientist in this country.
그는 이 나라에서 가장 위대한 과학자로   .

174 principal
[prínsəpəl]

명 교장 (= headmaster); 우두머리
형 주요한 (= main)

We were bored to death by the **principal's** speech.
우리는   선생님의 연설로 지루해 죽을 지경이었다.

principal's office
교장실

175 predict
[pridíkt]

동 예언하다, 예보하다 (= forecast)

He **predicted** when the war would break out.
그는 언제 전쟁이 일어날지 ▨▨▨▨▨.

➕ predictable 형 예측할 수 있는

---

176 release
[rilíːs]

동 석방하다 (= set free), 풀어놓다

He has just been **released** from prison.
그는 교도소에서 막 ▨▨▨▨▨.

↔ imprison 동 투옥하다, 가두다

---

177 satisfy
[sǽtisfài]

동 만족시키다 (= please)

They are **satisfied** to get equal shares.
그들은 공평하게 분배 받아 ▨▨▨▨▨.

➕ satisfaction 명 만족

---

178 keep on -ing

…을 계속하다 (= continue -ing)

Athletes **kept on training** even after midnight.
운동선수들은 자정이 지나서도 훈련을 ▨▨▨▨▨.

---

179 more or less

다소간, 얼마간 (= somewhat),
대략 (= approximately)

This bottle holds 2 litters of water, **more or less**.
이 병에는 ▨▨▨▨▨ 2리터의 물을 담을 수 있다.

---

180 in a degree

조금은, 어느 정도는

You might be interested in science **in a degree**.
당신은 과학에 ▨▨▨▨▨ 흥미를 가지고 있을 것이다.

Get More principal *vs.* principle

1 principal 명 교장 형 주요한, 주된
the **principal**'s speech
교장선생님의 연설

2 principle 명 원리
the first **principle**
제1원리

DAY 12 · Wrap-up Test

✎ ANSWERS p. 277

A 영어는 우리말로, 우리말은 영어로 쓰시오.

1 principal _____
2 reward _____
3 keep on -ing _____
4 recommend _____
5 profession _____

6 …으로 여기다, 간주하다 _____
7 길, 노선, 항로 _____
8 다소간, 얼마간, 대략 _____
9 예언하다, 예보하다 _____
10 조금은, 어느 정도는 _____

B 빈칸에 알맞은 단어를 [보기]에서 골라 쓰시오. (필요시 형태를 고칠 것)

| 보기 | purpose | quality | release | satisfy | overcome |

11 He was _____ from prison.
그 사람은 감옥에서 풀려났다.

12 I'll accomplish my _____ at any price.
나는 어떤 대가를 치루더라도 목적을 달성할 것이다.

13 _____ is more important than quantity.
양보다 질이 더 중요하다.

14 I could not _____ my boss with the results.
나는 그 결과로 내 상관을 만족시킬 수가 없었다.

15 We have to _____ the problems of pollution first.
우리는 오염 문제를 가장 먼저 극복해야 한다.

C A : B = C : D의 관계가 되도록 빈칸에 알맞은 단어를 [보기]에서 골라 쓰시오.

| 보기 | principal | reward | purpose | satisfy | release |

16 official : formal = please : _____
17 mental : physical = imprison : _____
18 leader : chief = headmaster : _____
19 supply : demand = punishment : _____
20 profession : occupation = intention : _____

Day 12

DAY 13

저는 어제 고양이를 목욕시켜 줬어요~

욕조의 물의 depth를 알지 못했죠.

PUMP!!!

그건 잊지 못할 bitter한 경험이었어요…

🔊 MP3 파일을 들으면서 단어를 따라 읽어보세요.

---

181 bathe
[beið]

bathing suits
수영복

동 목욕시키다, 목욕하다; 헤엄치다 (= swim)

Bathe your pet before traveling.
여행가기 전에 애완동물을 ▨▨▨▨▨▨▨.

➕ bath 명 목욕

---

182 bitter
[bítər]

형 쓴; 비통한 (= resentful), 고통스러운

That failure was a **bitter** experience for me.
그 실패는 나에게 ▨▨▨▨▨ 경험이었다.

➕ bitterness 명 쓴맛, 쓰라림
↔ sweet 형 달콤한

---

183 depth
[depθ]

명 깊이

It is hard to measure the **depth** of this lake.
이 호수의 ▨▨▨▨▨를 측정하기는 어렵다.

➕ deep 형 깊은

---

184 civil
□□ [sívəl]

형 시민의, 문명(사회)의

Every citizen has civil rights and duties.
모든 시민은 [   ] 권리와 의무를 가지고 있다.

➕ civilization 명 문명

---

185 devote
□□ [divóut]

동 바치다 (= dedicate)

He devoted his life to helping the poor.
그는 가난한 사람들을 돕는 데 일생을 [   ].

➕ devotion 명 헌신

---

186 declare
□□ [dikléər]

de[down]+clare[clear]
아래로 명백히 하다 → 선언하다

동 선언하다, 선포하다 (= proclaim)

The government declared a state of
emergency.
정부는 비상사태를 [   ].

➕ declaration 명 선언, 신고

---

187 charge
□□ [tʃɑːrdʒ]

동 (대가·요금을) 청구하다; (…의 탓으로) 돌리다
명 청구 금액 (= bill); 책임

They charged 5,000 won for the food.
그들은 음식 값으로 5천원을 [   ].

---

188 cope
□□ [koup]

동 대처하다, 해 나가다 (= manage)

It's hard to cope with so many problems.
그렇게 많은 문제들을 [   ] 것은 어렵다.

---

189 device
□□ [diváis]

명 장치, 기구 (= tool)

This is a device for playing music.
이것은 음악을 재생하는 [   ] 이다.

➕ devise 동 고안하다

video device
비디오 장치

190 distant
[dístənt]

웽 먼 (= far), …에서 떨어진

She is a distant relative of my father's.
그녀는 나의 아버지의 ▨▨▨▨▨ 친척이다.

➕ distance 웽 거리
↔ close 웽 가까운

191 consist
[kənsíst]

con[together] + sist[stand]
함께 세우다 → 구성되다

동 …으로 되어 있다, 이루어져 있다

A soccer team consists of 11 players.
축구팀은 11명으로 ▨▨▨▨▨.

192 arise
[əráiz]

arise – arose – arisen

동 일어나다, 생기다 (= happen); 기상하다

A serious problem has arisen.
심각한 문제가 ▨▨▨▨▨.

193 pay attention to *n.*

…에 주의를 기울이다, 유의하다 (= take notice of)

Students should pay attention to a teacher's advice.
학생들은 선생님의 조언에 ▨▨▨▨▨ 한다.

194 in person

실물로, 본인이 직접

It's a great honor to meet you in person.
당신을 ▨▨▨▨▨ 뵙게 되어 매우 영광입니다.

195 be about to *v.*

곧 …하다, 거의 …하다
(= be on the point of -ing)

Please be seated because the show is about to begin.
공연이 ▨▨▨▨▨ 것이므로 자리에 앉아 주세요.

Get More charge의 다양한 뜻

1 웽 요금
a service charge
서비스 요금

2 웽 고소, 고발
drop the charge
고소를 취하하다

3 웽 책임
be in charge of
…을 담당하고 있는

Wrap-up **T**est

✎ ANSWERS p. 277

A 영어는 우리말로, 우리말은 영어로 쓰시오.

1	in person	_____	6	장치, 기구	_____
2	declare	_____	7	먼, …에서 떨어진	_____
3	civil	_____	8	목욕시키다, 헤엄치다	_____
4	devote	_____	9	…에 주의를 기울이다	_____
5	be about to	_____	10	…으로 되어 있다	_____

B 빈칸에 알맞은 단어를 [보기]에서 골라 쓰시오. (필요시 형태를 고칠 것)

보기	depth	bitter	arise	charge	cope

11 Accidents _____ from carelessness.
  사고는 부주의로부터 생긴다.

12 I did my best to _____ with the situation.
  나는 상황에 대처하기 위해 최선을 다했다.

13 The _____ of this swimming pool is 2 meters.
  이 수영장의 깊이는 2미터이다.

14 This herb tastes _____ but it is good for your health.
  이 허브는 쓴맛이 나지만 건강에는 좋다.

15 The museum is free of _____.
  그 박물관은 무료이다.

C 설명하는 단어를 [보기]에서 골라 쓰시오.

보기	device	bathe	distant	declare	devote

16 to give your time or attention completely to something _____

17 a machine or tool that does a special job _____

18 to wash yourself or someone else in a bathroom _____

19 to express or announce something clearly and publicly _____

20 far away in space or time _____

DAY 14

Ancient의 사람들은 하늘에 무엇이 있는지 궁금해 했어요.

그들은 brick과 clay를 이용해서 탑을 쌓기 시작했어요.

그 탑은 바벨탑이라 불렸습니다.

하지만 바벨탑은 결국 무너져 내리고 말았어요.

◀) MP3 파일을 들으면서 단어를 따라 읽어보세요.

---

196 bound
[baund]

land boundary
토지 경계

휑 묶인 (= tied); …행의

I couldn't do anything with my hands bound.
나는 손이 |||||||||| 채로 아무것도 할 수 없었다.

➕ bind 동 묶다
　boundary 명 경계, 경계선
↔ free 형 자유로운

---

197 brick
[brik]

명 벽돌

This house was built with bricks.
이 집은 |||||||||| 로 지어졌다.

---

198 attempt
[ətémpt]

at[to]+tempt[to try]
…을 향해 시도하다 → 시도하다

동 …을 시도하다 (= try), 꾀하고 있다
명 시도, 기도

He attempted to convince me.
그는 나를 설득하려고 ||||||||||.

---

199 characteristic
[kæ̀riktərístik]

명 특징 (= feature), 특색
형 독특한, 특유의

This painting shows the characteristics of Korean culture.
이 그림은 한국 문화의 [   ] 을 보여 준다.

➕ characterize 동 특징짓다

200 considerable
[kənsídərəbl]

형 상당한 (= substantial); 중요한 (= important)

His work showed considerable improvement.
그의 일이 [   ] 진전을 보였다.

➕ considerably 부 상당히
↔ inconsiderable 형 적은, 하찮은

201 silence
[sáiləns]

명 고요함, 침묵 (= stillness)

Silence is often regarded as consent.
[   ] 은 종종 동의로 여겨진다.

➕ silent 형 고요한, 조용한
↔ noise 명 소음

202 secretary
[sékrətèri]

명 비서

She is a secretary to the president.
그녀는 회장의 [   ] 이다.

203 clay
[klei]

명 찰흙, 흙

She made a doll from clay.
그녀는 [   ] 으로 인형을 만들었다.

204 conflict
형 [kánflikt]
동 [kənflíkt]

con[together] + flict[strike]
함께 싸우다 → 충돌하다

명 투쟁 (= struggle), 충돌
동 충돌하다

A conflict of opinions arose over the matter.
그 문제를 두고 의견의 [   ] 이 일어났다.

↔ agree 동 동의하다

205 ancient
[éinʃənt]

ancient treasure
고대 보물

형 고대의, 오래된

This ancient tomb was discovered by an adventurer.

이 ▓▓▓▓▓ 무덤은 한 탐험가에 의해 발견되었다.

↔ modern 형 현대의, 최신의

---

206 coal
[koul]

명 석탄

Steamships used coal as fuel.

증기선은 ▓▓▓▓▓ 을 연료로 사용했다.

---

207 attitude
[ǽtitʃùːd]

명 태도 (= manner), 사고방식

No one likes him because of his bad attitude.

그의 나쁜 ▓▓▓▓▓ 때문에 아무도 그를 좋아하지 않는다.

---

208 on time

정시에, 정각에

The train arrived here on time.

그 열차는 이곳에 ▓▓▓▓▓ 도착했다.

---

209 happen to v.

우연히 …하다 (= chance to)

I was surprised because I happened to meet my uncle on the bus.

나는 버스에서 삼촌을 ▓▓▓▓▓ 만나서 놀랐다.

---

210 to make matters worse

설상가상으로, 엎친 데 덮친 격으로

To make matters worse, his wife left him after he was fired.

▓▓▓▓▓ 그가 해고된 후 그의 아내는 그를 떠났다.

Get More   bound의 다양한 뜻

1 형 묶인
a bound prisoner
묶인 죄수

2 형 …행의
a train bound for Seoul
서울행 기차

3 명 경계
out of bounds
경계 밖

✐ ANSWERS p. 277

A 영어는 우리말로, 우리말은 영어로 쓰시오.

1	bound	_____	6	우연히 …하다	_____
2	attitude	_____	7	찰흙, 흙	_____
3	on time	_____	8	고대의, 오래된	_____
4	conflict	_____	9	석탄	_____
5	characteristic	_____	10	엎친 데 덮친 격으로	_____

B 빈칸에 알맞은 단어를 [보기]에서 골라 쓰시오. (필요시 형태를 고칠 것)

| 보기 | attempt | considerable | brick | silence | secretary |

11 It gave us a(n) _____ advantage.
그것은 우리에게 상당한 이점을 주었다.

12 She is a(n) _____ to the prime minister.
그녀는 총리의 비서이다.

13 He broke the _____ and started to laugh.
그는 침묵을 깨고 웃기 시작했다.

14 He wanted to live in a(n) _____ house since he was a child.
그는 어려서부터 벽돌집에 살고 싶어했다.

15 She was the first woman to _____ to climb Mt. Everest.
그녀는 에베레스트 산 등정을 시도한 첫 번째 여성이었다.

C A : B = C : D의 관계가 되도록 빈칸에 알맞은 단어를 [보기]에서 골라 쓰시오.

| 보기 | characteristic | conflict | bound | silence | ancient |

16 probable : likely = tied : _____

17 bitter : sweet = modern : _____

18 success : failure = noise : _____

19 destroy : build = agree : _____

20 replace : substitute = feature : _____

DAY 15

저는 어둠을 두려워하지 않아요.

왜냐하면 앞을 볼 수 없기 때문이죠.

심청아~

하지만 초음파로 어두운 곳에서도 위치를 파악할 수 있어요.

레이더포착

파리 살려!

🔊 MP3 파일을 들으면서 단어를 따라 읽어보세요.

피 쏠리겠다 …

Ceiling에 매달려 잠을 잔답니다.

---

211 **candle**
[kǽndl]

명 양초, 촛불

A candle is burning on the table.
▓▓▓▓▓ 가 식탁 위에서 타고 있다.

---

212 **access**
[ǽkses]

access number
비밀 번호

명 접근, 통로
동 접근하다

My school is easy to access.
우리 학교는 ▓▓▓▓▓ 에 용이하다.

➕ accessible 형 접근하기 쉬운

---

213 **angle**
[ǽŋgl]

명 각도, 각

The view from this angle is wonderful.
이 ▓▓▓▓▓ 에서의 조망은 훌륭하다.

➕ triangle 명 삼각형

---

214 ceiling
[síːliŋ]

명 천장

A modern lamp was hanging from the ceiling.
현대식 램프가 ▩▩▩▩▩ 에 매달려 있었다.

---

215 steady
[stédi]

형 안정된 (= stable), 견실한 (= consistent)

He is making slow but steady progress.
그는 느리지만 ▩▩▩▩ 진전을 보이고 있다.

➕ steadily 🖖 착실하게

---

216 commit
[kəmít]

commit – committed –
committed

com[together] + mit[send]
함께 보내다 → 맡기다

동 범하다, 저지르다; 위탁하다, 맡기다

He committed a serious crime.
그는 심각한 범죄를 ▩▩▩▩▩▩.

---

217 capable
[kéipəbl]

형 유능한, 능력 있는

She is a capable teacher.
그녀는 ▩▩▩▩▩ 선생님이다.

➕ capability 명 능력
↔ incapable 형 능력이 없는

---

218 arrange
[əréindʒ]

동 준비하다 (= prepare); 정리하다 (= put in order)

They arranged a car for us.
그들은 우리를 위해 자동차를 ▩▩▩▩▩▩.

➕ arrangement 명 준비; 정리

---

219 valuable
[vǽljuːəbl]

valuable diamond
값비싼 다이아몬드

형 값진, 귀중한

You're a valuable member of this team.
당신은 이 팀에 ▩▩▩▩▩ 회원입니다.

➕ value 명 가치
↔ worthless 형 가치 없는
　 useless 형 쓸모 없는

220 congress
[kɔ́ŋgres]

con[together] + gress[go]
함께 가다 → 대회

명 미국의 국회 (Congress); 집회, 대회

She was the first woman to be elected to Congress.
그녀는 ▨▨▨▨ 에 선출된 첫 번째 여성이었다.

221 term
[tə:rm]

명 기간 (= period); 용어 (= word)

It will be a long-term project.
그것은 장 ▨▨▨▨ 프로젝트가 될 것이다.

발음주의

222 behave
[bihéiv]

동 행동하다, 처신하다

He behaved like a gentleman.
그는 신사처럼 ▨▨▨▨▨▨ .

➕ behavior 명 행동

223 be afraid of

…을 두려워하다

Usually, people are afraid of the dark.
사람들은 보통 어둠을 ▨▨▨▨ .

224 be filled with

…으로 가득 차다 (= be full of)

The glass is filled with water.
그 잔은 물로 ▨▨▨▨ .

225 run out of

…가 다 떨어지다, 고갈되다 (= run short of)

Find a gas station because we are running out of gas.
휘발유가 ▨▨▨▨ 있으니 주유소를 찾아라.

Get More term의 다양한 뜻

1 명 기간, 학기
the mid-term exam 중간고사

2 명 용어
scientific terms 과학 용어

✎ ANSWERS p. 278

A 영어는 우리말로, 우리말은 영어로 쓰시오.

1	be afrald of	_____	
2	ceiling	_____	
3	arrange	_____	
4	valuable	_____	
5	be filled with	_____	

6 접근, 통로, 접근하다 _____
7 유능한, 능력 있는 _____
8 기간, 용어 _____
9 미국의 국회, 대회 _____
10 …가 다 떨어지다 _____

Day **15**

B 빈칸에 알맞은 단어를 [보기]에서 골라 쓰시오. (필요시 형태를 고칠 것)

보기	behave	steady	commit	candle	angle

11 He doesn't know how to _____.
그는 어떻게 행동해야 할지 모른다.

12 Light up a(n) _____ and make a wish.
촛불을 켜고 소원을 비세요.

13 He was punished because he _____ a crime.
그는 범죄를 저질렀기 때문에 처벌받았다.

14 The airplane is approaching the runway at a 15 degree _____.
비행기는 활주로에 15도 각도로 접근하고 있다.

15 It's important to keep your hands _____ when shooting a gun.
총을 쏠 때에는 손을 안정되게 유지하는 것이 중요하다.

C 설명하는 단어를 [보기]에서 골라 쓰시오.

보기	arrange	capable	valuable	ceiling	steady

16 happening at a gradual and regular way _____
17 the upper surface of a room _____
18 having considerable value or usefulness _____
19 able to do things well and achieve results _____
20 to organize and make plans for something _____

✎ ANSWERS p. 278

다음 우리말에 맞게 빈칸에 주어진 철자로 시작하는 단어를 쓰시오.

DAY 11

1	정신 이상	a m_____ disorder
2	공식 성명	an o_____ statement
3	정당 정치	party p_____
4	도덕 교육	m_____ education
5	형식 논리학	formal l_____
6	관계대명사	a r_____ pronoun

DAY 12

7	주요 요인	a p_____ factor
8	인질을 석방하다	r_____ a hostage
9	조건을 만족시키다	s_____ a condition
10	재정적인 보상	a financial r_____
11	품질을 보증하다	warrant q_____
12	항공로	an air r_____

DAY 13

13	시민 사회	c_____ society
14	깊이를 재다	measure the d_____
15	수수료를 청구하다	c_____ a fee
16	쓴 맛	a b_____ taste
17	안전 장치	a safety d_____
18	일광욕을 하다	b_____ in the sun

DAY 14

19	현실적인 태도	a realistic a_____
20	상당한 비용	c_____ expense
21	심리적 갈등	a mental c_____
22	고대 문명	a_____ civilization
23	침묵을 지키다	keep s_____
24	뛰어난 비서	an excellent s_____

DAY 15

25	꾸준한 수요	s_____ demand
26	값진 충고	v_____ advice
27	국제 회의	an international c_____
28	단기 계획	a short-t_____ plan
29	자살하다	c_____ suicide
30	직각	a right a_____

Zoom In

단어의 변형 I 명사/동사

형용사 + ness = 명사

-ment 명 상태, 특징, 행동, 사물	retire 동 퇴직하다 ➡ retirement 명 퇴직, 은퇴 move 동 움직이다 ➡ movement 명 움직임 예 rapid movement 급격한 움직임
-ity 명 …의 성질, 상태	pure 형 순수한 ➡ purity 명 깨끗함, 청결 active 형 활발한 ➡ activity 명 활동 예 illegal activity 불법 활동
-tion 명 동작, 동작의 결과	concentrate 동 집중하다 ➡ concentration 명 집중 elect 동 선출하다 ➡ election 명 선거 예 the general election 총선거
-ness 명 …의 상태, 특질	dark 형 어두운 ➡ darkness 명 암흑, 어둠 fit 형 건강한 ➡ fitness 명 건강함 예 a fitness club 헬스 클럽
-ate 동 …하게 되다	active 형 활기찬 ➡ activate 동 활기 있게 하다 motive 명 동기 ➡ motivate 동 …에게 동기를 부여하다 예 motivate employees 근로자들을 고취시키다
-ize 동 …화하다	real 형 진짜의, 진정한 ➡ realize 동 깨닫다, 실현하다 minimum 명 최소 ➡ minimize 동 최소화하다 예 realize a dream 꿈을 실현하다
-ify 동 …하게 되다	identity 명 신분 ➡ identify 동 확인하다, 식별하다 pure 형 순수한 ➡ purify 동 깨끗이 하다, 정화하다 예 purify water 물을 정화하다

그 꿈을 위해 academy에서 연습한 결과…

저의 꿈은 broadcast에 출연하는 것입니다.

◀) MP3 파일을 들으면서
단어를 따라 읽어보세요.

드디어 제 꿈을 이루는 날이
오고야 말았어요!

---

226 **senior**
[síːnjər]

명 연장자, 상급자
형 연장자의, 상급자의 (= superior)

Seniors should be respected.
▨▨▨▨▨은 존중 받아야 한다.

↔ junior 명 손아랫사람 형 손아래의

발음주의

227 **academy**
[əkǽdəmi]

명 학원, 전문 학교

West Point is a famous American military academy.
웨스트포인트는 유명한 미국 사관 ▨▨▨▨▨이다.

---

228 **assembly**
[əsémbli]

National Assembly
국회

명 집회 (= gathering); 조립

Freedom of assembly is a basic human right.
▨▨▨▨의 자유는 기본적인 인권이다.

✚ assemble 동 모이다, 조립하다

---

229 shelter
[ʃéltər]

명 피난, 은신처
동 피난하다, 보호하다 (= protect)

We took shelter in a nearby school.
우리는 근처 학교로 ░░░░░░░ 했다.

230 somewhere
[sʌ́mhwὲər]

부 어딘가에

I lost my wallet somewhere.
나는 ░░░░░░ 내 지갑을 잃어버렸다.

231 complaint
[kəmpléint]

명 불평, 불만 (= protest)

He is full of complaints.
그는 ░░░░░░ 투성이다.

╋ complain 동 불평하다

232 surface
[sə́:rfis]

명 표면
형 표면의

sur[above]+face[face]
위쪽 면 → 표면

The surface of silk is very smooth.
실크의 ░░░░░░ 은 매우 매끄럽다.

233 constant
[kánstənt]

형 불변의, 지속적인 (= continuous)

The constant noise annoyed me.
░░░░░░ 소음이 나를 짜증나게 했다.

╋ constantly 부 끊임없이
⟷ variable 형 변하기 쉬운

234 broadcast
[brɔ́:dkæst]

동 방송하다
명 방송

broadcast – broadcast(ed)–
broadcast(ed)

The show was broadcasted yesterday.
그 쇼는 어제 ░░░░░░ .

╋ broadcaster 명 방송인
broadcasting 명 방송(업)

broadcasting station
방송국

235 permit
[pəːrmít]

图 허가하다 (= allow)
图 허가

You are not permitted to park here.
여기에 주차하는 것은 ▨▨▨▨▨ 않습니다.

✚ permission 图 허가
↔ forbid 图 금지하다

236 promote
[prəmóut]

图 촉진시키다 (= encourage); 승진시키다

Proper exercise promotes health.
적절한 운동은 건강을 ▨▨▨▨▨.

✚ promotion 图 촉진; 승진
↔ discourage 图 낙담시키다

237 contribute
[kəntríbjut]

con[together] + tribute[grant]
함께 주다 → 기부하다

图 기부하다 (= donate); 기여하다

The singer contributed a lot of money to a charity foundation.
그 가수는 많은 돈을 자선 단체에 ▨▨▨▨▨.

✚ contribution 图 기여, 기부

238 succeed in

…에 성공하다

We have succeeded in finding a solution.
우리는 해결책을 찾는 데 ▨▨▨▨▨.

↔ fail in …에 실패하다

239 to one's surprise

놀랍게도

To my surprise, that old car was still working.
▨▨▨▨▨, 그 오래된 차가 아직도 작동하고 있었다.

240 refrain from

…을 삼가다 (= abstain from)

Please refrain from smoking in this room.
이 방에서 담배 피는 것을 ▨▨▨▨▨ 주세요.

Get More assembly의 다양한 뜻

1 图 집회
freedom of **assembly**
집회의 자유

2 图 조립
a car **assembly** plant
자동차 조립 공장

✎ ANSWERS p. 278

A 영어는 우리말로, 우리말은 영어로 쓰시오.

1	complaint	_____	6	표면, 표면의 _____
2	succeed in	_____	7	…을 삼가다 _____
3	somewhere	_____	8	불변의, 지속적인 _____
4	broadcast	_____	9	전문 학교, 학원 _____
5	to one's surprise	_____	10	은신처, 피난하다 _____

B 빈칸에 알맞은 단어를 [보기]에서 골라 쓰시오. (필요시 형태를 고칠 것)

보기	assembly	contribute	promote	permit	senior

11 My daughter got _____ this year.
내 딸이 올해 승진했다.

12 He _____ a lot to our English class.
그는 우리 영어 수업에 크게 기여했다.

13 There's a religious _____ every morning.
매일 아침 종교 모임이 있다.

14 The law does not _____ the sale of this book.
법은 이 책의 판매를 허용치 않는다.

15 _____ students are usually allowed certain privileges.
상급생들에게는 보통 일정한 특권이 허락된다.

C 설명과 일치하는 단어를 골라 ✓표시를 하시오.

16 a school for special instruction ☐academy ☐assembly

17 to send something out by radio waves ☐promote ☐broadcast

18 the act of complaining ☐contribute ☐complaint

19 a person who is older than another person ☐senior ☐junior

20 a place which is made to protect people ☐shelter ☐surface
from bad weather or danger

DAY
17

그 아름다운 새는 자신의 charm을 뽐내고 있었어요.

그 새는 자신의 긴 날개를 펼치며 하늘로 take off 했어요.

오늘은 좀 더 뽐내 볼까?

하지만 마음이 너무 앞서고 말았어요.

콱!

■》 MP3 파일을 들으면서
단어를 따라 읽어보세요.

<table>
<tr>
<td>

241
□□ **slip**
[slip]

slip – slipped – slipped

slippery road
미끄러운 길

</td>
<td>

동 미끄러지다 (= slide)
명 (실수로) 미끄러짐

He is injured because he **slipped** on the ice.
그는 빙판에서 [   ] 때문에 부상을 당했다.

➕ slippery 형 미끄러운

</td>
</tr>
</table>

<table>
<tr>
<td>

242
□□ **bet**
[bet]

bet – bet – bet

</td>
<td>

동 (돈 등을) 걸다, 내기하다 (= gamble)
명 내기

I will **bet** on the third horse.
나는 세 번째 말에 [   ] 거야.

</td>
</tr>
</table>

<table>
<tr>
<td>

243
□□ **bay**
[bei]

</td>
<td>

명 만(灣)

We sailed into a beautiful **bay**.
우리는 아름다운 [   ]으로 항해해 들어갔다.

</td>
</tr>
</table>

---

244 charm
[tʃɑːrm]

동 매혹하다 (= attract)
명 매력

She **charmed** the guests with her smiles.
그녀는 미소로 손님들을 ░░░░░░.

➕ charming 형 매력적인, 멋진

245 commerce
[kámərs]

com[together] + merce[deal]
함께 거래하다 → 교역

international commerce
국제 무역

명 상업, 교역

International **commerce** is increasing.
국제 ░░░░░ 이 증가하고 있다.

➕ commercial 형 상업적인

246 claim
[kleim]

동 주장하다; 요구하다 (= demand)
명 주장; 요구

He **claimed** that he was innocent.
그는 자신이 결백하다고 ░░░░░░.

발음주의

247 creature
[kríːtʃər]

명 창조물, 존재, 생물

A human being is an imperfect **creature**.
인간은 불완전한 ░░░░░ 이다.

248 affect
[əfékt]

동 영향을 끼치다; 감동시키다

Money **affects** all aspects of life.
돈은 삶의 모든 면에 ░░░░░░.

➕ affection 명 애정, 감동; 영향

249 whenever
[hwenévər]

접 …할 때는 언제나

You can visit us **whenever** you want.
네가 원할 ░░░░░ 우리를 방문해도 좋다.

250 account
[əkáunt]

圀 계산; 계좌; 설명 (= description)
圄 설명하다

You must take this into account.
당신은 이것을 꼭 [⠀⠀⠀] 해야 합니다.

✚ accountant 圀 회계사
take ··· into account ···을 고려하다

251 numerous
[njúːmərəs]

numer[number]＋ous[full of]
숫자가 많은 → 수많은

圀 수많은 (= numberless)

Shops of this type are numerous.
이러한 형태의 가게는 [⠀⠀⠀] 다.

252 urgent
[ə́ːrdʒənt]

圀 급한, 절박한

He sent me an urgent message.
그는 나에게 [⠀⠀⠀] 메시지를 보냈다.

✚ urgency 圀 긴급, 절박

253 take off

이륙하다; 옷을 벗다

This airplane will take off at 5 p.m.
이 항공기는 오후 5시에 [⠀⠀⠀] 것이다.

254 bring up

양육하다 (= raise), 교육하다

After my father died, my mother brought me up by herself.
아버지께서 돌아가신 후 어머니는 혼자서 나를 [⠀⠀⠀].

255 in contrast

반대로, 반면에

His mother is small. In contrast, he is very tall.
그의 어머니는 작다. [⠀⠀⠀] 그는 매우 크다.

Get More   affect vs. effect

1 **affect** 圄 영향을 미치다
affect his performance
그의 성과에 영향을 미치다

2 **effect** 圀 결과, 효과
cause and **effect**
원인과 결과

✎ ANSWERS p. 278

A 영어는 우리말로, 우리말은 영어로 쓰시오.

1 numerous _____
2 bring up _____
3 affect _____
4 commerce _____
5 charm _____

6 반대로, 반면에 _____
7 창조물, 존재 _____
8 설명, 계산, 설명하다 _____
9 급한, 절박한 _____
10 이륙하다, 옷을 벗다 _____

Day
17

B 빈칸에 알맞은 단어를 [보기]에서 골라 쓰시오. (필요시 형태를 고칠 것)

| 보기 | claim | slip | bay | bet | whenever |

11 I always _____ on the tallest horse.
나는 언제나 키가 제일 큰 말에 돈을 건다.

12 _____ you need me, just give me a call.
제가 필요할 때는 언제든지 전화 주세요.

13 She broke her arm because she _____ on the ice.
그녀는 빙판 위에서 넘어져서 팔이 부러졌다.

14 He _____ that he had reached the top of the mountain.
그는 그 산의 정상까지 올라갔다고 주장했다.

15 Many companies are located in the San Francisco _____ area.
많은 회사들이 샌프란시스코 만 지역에 위치해 있다.

C 설명하는 단어를 [보기]에서 골라 쓰시오.

| 보기 | commerce | affect | numerous | charm | urgent |

16 a large number of _____
17 to influence someone or something _____
18 needing immediate action or attention _____
19 a special quality that makes you like someone or something _____
20 the buying and selling of goods and service in large amounts _____

DAY 18

도둑은 마을에서 많은 crop을 훔쳐 달아났어요.

그리고 temple안에 몸을 숨겼어요.

🔊 MP3 파일을 들으면서 단어를 따라 읽어보세요.

그러나 스님에게 발각되고 말았어요.

결국 사람들에게 arrest되었답니다.

---

256 **cancer**
□□
[kǽnsər]

명 암

A doctor claimed that he found a cure for cancer.
한 의사가 [   ]의 치료법을 발견했다고 주장했다.

➕ cancerous ᅠ형 암의; 악성인

발음주의

257 **barrier**
□□
[bǽriər]

명 장벽; 장애물 (= obstacle)

A barrier was set up to prevent future damage.
향후 피해를 방지하기 위해 [   ]이 설치되었다.

---

258 **convert**
□□
[kənvə́ːrt]

con[together] + vert[turn around] 함께 돌리다 → 변환하다

동 변환하다, 개조하다

They converted a house into a factory.
그들은 집을 공장으로 [   ].

➕ convertible ᅠ형 변환될 수 있는
conversion ᅠ명 변환, 전환

---

259 arrest
[ərést]

동 체포하다
명 체포

The suspect was arrested by the police.
용의자는 경찰에 의해 |||||||||||.

↔ release 동 풀어 주다

260 temple
[témpl]

명 절, 사원, 신전

We visit a temple every weekend.
우리는 매주 |||||||||| 을 방문한다.

buddist temple
불교 사원

261 crop
[krɑp]

명 곡물, 농작물

The flood totally destroyed their crops.
홍수는 그들의 |||||||||| 을 완전히 망가뜨렸다.

262 eastern
[íːstərn]

형 동쪽의, 동양의

The typhoon will affect the eastern part of Korea.
태풍은 한국의 |||||||||| 지역에 영향을 끼칠 것이다.

➕ east 명 동쪽, 동양
↔ western 형 서쪽의, 서양의

263 conscious
[kɑ́nʃəs]

con[together] + scious[know]
함께 알다 → 의식하는

형 의식하고 있는, 지각이 있는 (= awake)

He became conscious 3 days after the accident.
그는 사고 3일 후에 |||||||||| 이 돌아왔다.

➕ consciousness 명 의식

강세주의

264 committee
[kəmíti]

명 위원회

The committee approved the budget.
|||||||||| 는 예산안을 승인했다.

265 **afterward(s)**
[ǽftərwərd]

🔄 후에, 나중에 (= later)

You will be sorry afterwards.
당신은 |||||||||| 후회할 것이다.

↔ beforehand 🔄 미리, 사전에

---

266 **contain**
[kəntéin]

🔄 담다 (= hold, include); (얼마가) 들어가다

This book contains 200 pages of text.
이 책은 200 페이지의 본문으로 ||||||||||.

➕ container 🔄 그릇, 용기; (화물용) 컨테이너

---

267 **current**
[kə́:rənt]

🔄 현재의 (= present), 현행의
🔄 흐름

There are several current magazines on the desk.
책상 위에 |||||||||| 달의 잡지가 몇 권 있다.

➕ currency 🔄 통화, 유통
↔ outdated 🔄 구식의, 진부한

---

268 **answer for**

···을 책임지다 (= be responsible for), 보증하다

He will answer for his dishonesty.
그는 그의 부정직함에 대해 |||||||||| 것이다.

---

269 **end up -ing**

결국 ···하다

He dropped out of school and ended up living on the streets.
그는 학교를 중퇴했고 |||||||||| 노숙자가 되었다.

---

270 **object to -ing**

···하는 데 반대하다

Citizens objected to cutting aid for the poor.
시민들은 빈민들을 위한 원조를 줄이는 데 ||||||||||.

Get More   current의 다양한 뜻

1 🔄 현재의, 지금의
  current topics 오늘의 화제

2 🔄 흐름
  an electric **current** 전류

✎ ANSWERS p. 279

A 영어는 우리말로, 우리말은 영어로 쓰시오.

1	cancer	_____	6	…하는 데 반대하다 _____
2	contain	_____	7	…을 책임지다, 보증하다 _____
3	committee	_____	8	현재의, 현행의, 흐름 _____
4	end up -ing	_____	9	장벽, 장애물 _____
5	temple	_____	10	곡물, 농작물 _____

B 빈칸에 알맞은 단어를 [보기]에서 골라 쓰시오. (필요시 형태를 고칠 것)

보기	arrest	eastern	conscious	afterward	convert

11 I live in the _____ part of Seoul.

나는 서울의 동부 지역에 산다.

12 Police _____ him for murder.

경찰은 그를 살인죄로 체포했다.

13 He apologized to me _____.

그는 나중에 나에게 사과했다.

14 They _____ forest into farmland.

그들은 숲을 농지로 전환시켰다.

15 She was _____ during the operation.

그녀는 수술하는 동안 의식이 있었다.

C A : B = C : D의 관계가 되도록 알맞은 단어를 [보기]에서 골라 쓰시오.

보기	conscious	barrier	arrest	current	afterward

16 succeed : fail = release : _____

17 distant : far = _____ : awake

18 car : automobile = _____ : obstacle

19 smooth : rough = outdated : _____

20 divide : unite = beforehand : _____

DAY 19

◀)) MP3 파일을 들으면서
단어를 따라 읽어보세요.

---

271 sharp
☐☐

[ʃɑːrp]

sharp axe
날카로운 도끼

영 날카로운, 예리한

This knife is very sharp.

이 칼은 매우 　　　　 다.

➕ sharpen 동 날카롭게 하다
↔ dull 형 무딘, 둔한

---

272 vision
☐☐

[víʒən]

명 통찰력, 비전; 시력 (= sight)

His vision inspired us.

그의 　　　　 은 우리에게 영감을 불어넣었다.

➕ visionary 형 환영의 명 몽상가
　 visual 형 시각의

---

273 draft
☐☐

[dræft]

명 밑그림 (= outline), 초안, 설계도
동 밑그림을 그리다; 징병하다

When will the first draft be ready?

언제쯤 첫 　　　　 이 준비될까요?

---

274 desire
[dizáiər]

동 원하다 (= want)
명 욕망

We all desire to be rich and famous.
우리는 모두 부유하고 유명해지길 ▓▓▓▓▓▓▓.

✚ desirable 형 바람직한
　 desired 형 바랐던

---

275 twist
[twist]

동 꼬다, 비틀다 (= curl)

For your safety, do not twist electrical cords.
여러분들의 안전을 위해, 전기선을 ▓▓▓▓▓▓ 마시오.

Day 19

---

276 depress
[diprés]

de[down]+press
아래로 누르다 → 낙담시키다

동 낙담시키다, 우울하게 하다

He was depressed after hearing the news.
그는 그 소식을 듣고 ▓▓▓▓▓.

✚ depression 명 의기소침, 우울증

---

277 chemical
[kémikəl]

형 화학적인
명 화학 물질

Be careful because this chemical reaction is dangerous.
이 ▓▓▓▓▓▓ 반응은 위험하므로 주의하세요.

✚ chemistry 명 화학

chemical experiment
화학 실험

발음주의

278 ashamed
[əʃéimd]

형 부끄러운, 수치스러운 (= embarrassed)

He was ashamed of his mistake.
그는 자신의 실수를 ▓▓▓▓▓ 했다.

↔ proud 형 자랑스러운

---

279 willing
[wíliŋ]

형 기꺼이 …하는

I'm willing to do that for you.
나는 당신을 위해 ▓▓▓▓▓ 그 일을 하겠습니다.

↔ reluctant 형 마지못해 하는

280 critic
[krítik]

명 비평가

She is a famous film critic.
그녀는 유명한 영화 ▨▨▨▨ 이다.

➕ critical 형 비판적인; 중요한

281 aid
[eid]

명 도움, 원조 (= help)
동 원조하다

The British aid program is small in scale.
영국의 ▨▨▨▨ 프로그램은 규모가 작다.

282 consequence
[kánsəkwəns]

con[with] + sequence[follow]
함께 따라감 → 결과

명 결과 (= outcome, result); 중요성

We are responsible for the consequences.
우리는 그 ▨▨▨▨ 에 대해 책임이 있다.

283 go bad

상하다, 나빠지다

Eggs soon go bad in hot weather.
계란은 더운 날씨에 빨리 ▨▨▨▨ .

284 point of view

관점 (= viewpoint)

Try to look at it from their point of view.
그들의 ▨▨▨▨ 에서 그것을 보려고 노력해 봐.

285 be located in

…에 위치하다

The new theme park will be located in Seoul.
새로운 놀이공원이 서울에 ▨▨▨▨ 예정이다.

Get More draft의 다양한 뜻

1 명 밑그림
the first draft
초안

2 동 징집하다
be drafted into the army
군대에 징집되다

✎ ANSWERS p. 279

A 영어는 우리말로, 우리말은 영어로 쓰시오.

1	go bad	_____	6	관점	_____
2	be located in	_____	7	꼬다, 비틀다	_____
3	ashamed	_____	8	통찰력, 비전, 시력	_____
4	draft	_____	9	날카로운, 예리한	_____
5	depress	_____	10	화학적인, 화학 물질	_____

Day
19

B 빈칸에 알맞은 단어를 [보기]에서 골라 쓰시오. (필요시 형태를 고칠 것)

보기	consequence	willing	aid	critic	desire

11 He _____ to be an athlete.
그는 운동선수가 되기를 원한다.

12 You're in need of financial _____.
여러분은 재정적인 원조가 필요합니다.

13 I'm _____ to do anything to help you.
당신을 돕기 위해서는 어떤 것도 기꺼이 하겠습니다.

14 _____ praised his painting technique.
비평가들은 그의 화법을 칭찬했다.

15 You will be held responsible for the _____.
당신이 결과에 대한 책임을 지게 될 것이다.

C 설명하는 단어를 [보기]에서 골라 쓰시오.

보기	draft	depress	ashamed	sharp	vision

16 a piece of writing that is not yet in its finished form _____

17 having a thin edge or point that can cut something _____

18 the ability to see _____

19 to cause a person to feel unhappy and without hope _____

20 feeling embarrassed and guilty because of something
you have done _____

DAY 20

여자가 남자에게
화가 많이 난 것 같았어요.

한 couple이 길거리에서
싸우고 있었어요.

결국 남자가 여자에게 용서해 줄
것을 appeal하게 되었습니다.

🔊 MP3 파일을 들으면서
단어를 따라 읽어보세요.

286
☐☐ **automatic**
[ɔ:təmǽtik]

automatic door
자동문

형 자동의, 기계적인

an **automatic** answering machine
░░░░░ 응답기

➕ automatically 분 자동으로
↔ manual 형 수동의

287
☐☐ **deal**
[di:l]

deal – dealt – dealt

동 다루다, 거래하다
명 거래

I didn't know how I **dealt** with the problem.
나는 그 문제를 어떻게 ░░░░ 몰랐다.

➕ dealer 명 판매업자
   deal with …을 다루다

288
☐☐ **couple**
[kʌ́pəl]

명 커플, 부부; 한 쌍 (= pair)

They are a young **couple**.
그들은 젊은 ░░░░░ 이다.

---

289 basis
[béisis]

몡 기초 (= foundation); 근거

Your argument has no basis in fact.
당신의 주장은 사실에 ▒▒▒▒ 하지 않는다.

➕ basic 휑 기초의
pl. bases

---

290 agency
[éidʒənsi]

몡 대리(점); 기관, 회사 (= company)

To make a reservation, please contact a local travel agency.
예약하려면 지역 여행 ▒▒▒▒ 에 연락하세요.

➕ agent 몡 대리인

Day 20

---

291 attack
[ətǽk]

동 공격하다
몡 공격

They attacked the enemy by surprise.
그들은 적을 기습적으로 ▒▒▒▒.

↔ defend 동 방어하다

강세주의

292 appeal
[əpíːl]

동 간청하다 (= plead); 항의하다
몡 애원, 호소

He appealed for mercy.
그는 자비를 ▒▒▒▒.

---

293 client
[kláiənt]

몡 의뢰인, 고객 (= customer)

He's going to meet an important client.
그는 중요한 ▒▒▒▒ 을 만날 예정이다.

---

294 conclude
[kənklúːd]

con[together] + clude[shut]
함께 닫다 → 결론짓다

동 결론짓다, 끝내다 (= finish)

Police concluded that he committed the crime.
경찰은 그가 범죄를 저지른 것으로 ▒▒▒▒.

➕ conclusion 몡 결론

295 burst
[bəːrst]

burst − burst − burst

통 터지다, 터뜨리다 (= explode, blow up)
명 파열

The man suddenly burst into laughter.
그 사람은 갑자기 웃음을 [   ].

296 calculate
[kǽlkjulèit]

calculator
계산기

통 계산하다

Scientists can calculate very complex problems.
과학자들은 매우 복잡한 문제도 [   ] 수 있다.

➕ calculation 명 계산
calculator 명 계산기

297 vehicle
[víːikl]

명 차량, 탈것

Vehicles are not allowed to park here.
[   ]은 이곳에 주차가 허용되지 않습니다.

298 be used to -ing

…에 익숙하다 (= be accustomed to)

I'm used to working without breakfast.
나는 아침식사를 거르고 일하는 데 [   ].

299 be ashamed of

…을 부끄러워하다, 수치스러워하다

I'm ashamed of the terrible mistakes that I made.
나는 내가 범한 아주 나쁜 실수들이 [   ].

300 be eager for

…을 고대하다, 열망하다 (= be anxious for)

He is eager for fame as well as wealth.
그는 부귀뿐 아니라 명예도 [   ].

Get More appeal의 다양한 뜻

1 통 애원하다, 간청하다
appeal for help
도움을 간청하다

2 통 항의하다
appeal to the referee
심판에게 항의하다

 DAY **20** **W**rap-up **T**est

✎ ANSWERS p. 279

A 영어는 우리말로, 우리말은 영어로 쓰시오.

1	vehicle	_____	6	의뢰인, 고객	_____
2	be eager for	_____	7	…에 익숙하다	_____
3	automatic	_____	8	다루다, 거래하다, 거래	_____
4	couple	_____	9	터지다, 터뜨리다	_____
5	be ashamed of	_____	10	대리(점), 기관, 회사	_____

Day
20

B 빈칸에 알맞은 단어를 [보기]에서 골라 쓰시오. (필요시 형태를 고칠 것)

보기	calculate	basis	conclude	appeal	attack

11 I will _____ to him for help.
나는 그에게 도와달라고 간청할 것이다.

12 Army tanks _____ a village near the capital on Sunday.
일요일에 군 전차들이 수도 부근의 마을을 공격했다.

13 Experts _____ the possibility of winning.
전문가들은 승리의 가능성을 계산했다.

14 They _____ that the research succeeded.
그들은 그 연구가 성공했다고 결론지었다.

15 Individual freedom forms the _____ of democracy.
개인의 자유가 민주주의의 기초를 이룬다.

C 설명하는 단어를 [보기]에서 골라 쓰시오.

보기	couple	agency	vehicle	burst	automatic

16 to break open or apart suddenly _____

17 two of the same sort considered together _____

18 acting by itself without outside power or influence _____

19 a device or structure for transporting people or things _____

20 an organization or company that provides some services _____
for another

DAY 16~20 · Review Test

🖉 ANSWERS p. 279

다음 우리말에 맞게 빈칸에 주어진 철자로 시작하는 단어를 쓰시오.

DAY 16

1 상관, 상사   a s_____ officer
2 사관학교   a military a_____
3 비상 대피소   an emergency s_____
4 불만을 제기하다   raise a c_____
5 거친 표면   a rough s_____
6 끊임없는 문제들   c_____ problems

DAY 17

7 샌프란시스코 만   San Francisco B_____
8 외계 생물   an alien c_____
9 내기에서 지다   lose the b_____
10 국제 무역   international c_____
11 계좌를 개설하다   open an a_____
12 긴급 명령   an u_____ command

DAY 18

13 위암   stomach c_____
14 흉작   c_____ failures
15 판결 위원회   the judge c_____
16 시사 뉴스   c_____ news
17 언어 장벽   a language b_____
18 아폴로 신전   the t_____ of Apollo

DAY 19

19 연극 비평가   a drama c_____
20 화학 물질   c_____ substances
21 선견지명이 있는 지도자   a leader of v_____
22 응급 처치   first a_____
23 날카로운 목소리   a s_____ voice
24 필연적인 결과   a necessary c_____

DAY 20

25 자동 승강기   an a_____ elevator
26 승용차   a passenger v_____
27 확실한 근거   a solid b_____
28 논쟁을 끝내다   c_____ an argument
29 울음을 터뜨리다   b_____ into tears
30 판매 대리점   a selling a_____

Zoom In

단어의 변형 Ⅱ 형용사/부사

less (無) ~없는

sugarless candy

-al 🔶 …의, …적인	**nature** 🔷 자연 ➡ **natural** 🔶 자연스러운 **emotion** 🔷 감정 ➡ **emotional** 🔶 감정적인 🔷 an **emotional** reaction 감정적인 반응
-ive 🔶 …의 성질이 있는	**act** 🔶 행동하다 ➡ **active** 🔶 활발한 **attract** 🔶 매혹하다, 유인하다 ➡ **attractive** 🔶 매력적인 🔷 an **attractive** woman 매력적인 여성
-ous 🔶 …의 특징이 있는, …성질의	**danger** 🔷 위험 ➡ **dangerous** 🔶 위험한 **humor** 🔷 유머, 재치 ➡ **humorous** 🔶 익살스러운 🔷 a **dangerous** situation 위험한 상황
-ful 🔶 …의 특징을 갖는	**pain** 🔷 고통 ➡ **painful** 🔶 고통스러운 **harm** 🔷 해, 해악 ➡ **harmful** 🔶 해로운 🔷 a **painful** experience 고통스러운 경험
-ish 🔶 … 같은, 관련 있는	**child** 🔷 어린이 ➡ **childish** 🔶 어린이 같은, 유치한 **fool** 🔷 바보 ➡ **foolish** 🔶 어리석은, 바보 같은 🔷 **childish** behavior 유치한 행동
-less 🔶 …이 없는	**care** 🔷 걱정, 주의 🔶 걱정하다 ➡ **careless** 🔶 부주의한 **help** 🔷 도움 🔶 돕다 ➡ **helpless** 🔶 무력한 🔷 feel **helpless** 무력하다고 느끼다
-ly 🔶 …하게	**main** 🔶 주요한 ➡ **mainly** 🔶 주로 **beautiful** 🔶 아름다운 ➡ **beautifully** 🔶 아름답게 🔷 **beautifully** designed 아름답게 디자인된

DAY 21

왕비는 예쁜 공주를 질투한 나머지 그녀를 없앨 계획을 세웠습니다.

독사과를 먹은 공주는 faint했어요.

◀) MP3 파일을 들으면서
단어를 따라 읽어보세요.

하지만 멋진 왕자가 나타나서 왕비의 계획을 interrupt했답니다.

결국 왕비의 계획은 failure로 끝나게 되었어요~

---

301 **faint**
[feint]

형 희미한 (= dim, faded)
동 기절하다

The writing on the stone was very **faint**.
돌에 쓰인 글씨는 아주 [____]다.

↔ clear 형 맑은, 뚜렷한

---

302 **highly**
[háili]

부 매우 (= greatly)

His designs are **highly** original.
그의 디자인은 [____] 독창적이다.

---

303 **evil**
[íːvəl]

형 나쁜, 사악한 (= bad, wicked)
명 악, 사악 (= wickedness, harm)

This novel is about an **evil** queen.
이 소설은 어떤 [____] 여왕에 관한 것이다.

↔ good 형 좋은, 선량한 명 선(善)

evil spirits
악령

---

304 emotion
[imóuʃən]

e[out] + motion[movement]
밖으로 움직임 → 감정

명 감정, 정서 (= feeling)

She was afraid to show her **emotions**.
그녀는 자신의 ▨▨▨▨ 을 드러내는 것을 두려워 했다.

➕ emotional 형 감정적인

305 fancy
[fǽnsi]

명 공상, 상상(력)

Elves are creatures of **fancy**.
요정은 ▨▨▨▨ 속의 창조물이다.

306 frank
[fræŋk]

형 솔직한 (= candid, direct)

To be **frank** with you, I don't like him.
▨▨▨▨ 말하면, 나는 그를 좋아하지 않아.

Day 21

307 establish
[istǽbliʃ]

동 설립하다 (= build, organize); 확립하다

They plan to **establish** an art institute.
그들은 미술 협회를 ▨▨▨▨ 계획이다.

➕ established 형 확립된, 확실한
↔ abolish 동 폐지하다

308 eventually
[ivéntʃuəli]

부 결국, 마침내 (= finally), 드디어

Eventually, some animals will die out.
▨▨▨▨, 어떤 동물들은 멸종될 것이다.

309 instant
[ínstənt]

명 순간, 즉시
형 순간의, 즉시의, 즉석의

At that **instant**, the bell rang.
바로 그 ▨▨▨▨, 종이 울렸다.

➕ instantly 부 즉각, 즉시

instant noodles
즉석 면류, 라면

310 interrupt
[ìntərʌ́pt]

inter[between] + rupt[break]
사이에서 부서지다 → 방해하다

통 방해하다 (= disturb); 중단하다

Please don't interrupt me.
제발 날 |||||||||| 말아 줘.

---

311 failure
[féiljər]

engine failure
엔진 고장

명 실패

His plan ended in failure.
그의 계획은 ||||||||| 로 끝났다.

➕ fail 통 실패하다
↔ success 명 성공

---

312 equip
[ikwíp]

equip – equipped – equipped

통 (장비를) 갖추다, 준비하다

He was fully equipped for the job.
그는 그 일에 필요한 것을 완전히 ||||||||| .

➕ equipment 명 준비; 장비

---

313 both A and B

A와 B 둘 다

Exercise is good for both body and mind.
운동은 몸과 마음 ||||||||| 에 유익하다.

---

314 agree with

…에 동의하다

I don't agree with you.
나는 네 말에 ||||||||| 않아.

---

315 be anxious about

…에 대해 걱정하다 (= be worried about)

He is always anxious about his health.
그는 항상 자신의 건강에 대해 ||||||||| .

Get More   high vs. highly

1 high 형 높은 부 높이
  fly high
  높이 날다

2 highly 부 매우, 대단히
  highly successful
  대단히 성공적인

✎ ANSWERS p. 280

A 영어는 우리말로, 우리말은 영어로 쓰시오.

1	failure	_____	6	…에 동의하다	_____
2	frank	_____	7	공상, 상상(력)	_____
3	interrupt	_____	8	나쁜, 사악한	_____
4	both A and B	_____	9	…에 대해 걱정하다	_____
5	establish	_____	10	감정, 정서	_____

B 빈칸에 알맞은 단어를 [보기]에서 골라 쓰시오. (필요시 형태를 고칠 것)

보기	instant	faint	equip	highly	eventually

11 I heard a(n) _____ voice.
나는 희미한 목소리를 들었다.

12 He will be caught _____.
그는 결국 잡힐 것이다.

13 She was _____ amused.
그녀는 대단히 기뻐했다.

14 The medicine took _____ effect.
그 약은 즉각적인 효력을 나타냈다.

15 Hospitals are _____ to treat every kind of illness.
병원에는 온갖 병을 치료할 수 있도록 장비가 갖추어져 있다.

C 설명하는 단어를 [보기]에서 골라 쓰시오.

보기	failure	evil	frank	emotion	establish

16 morally wrong and bad _____

17 a lack of success in doing something _____

18 a strong feeling such as love, anger or fear _____

19 honest and truthful _____

20 to start or create something in a particular way _____

Day 21

DAY 22

As usual, 방과 후 집으로 가던 길에,

빈 가스캔을 무심코 발로 차버렸어요.

 MP3 파일을 들으면서
단어를 따라 읽어보세요.

꽝!

그런데 그 가스캔이 개집에 떨어졌고,
개집이 explode해버린 거예요!

너 이제 죽었어.

---

316 flight
[flait]

flight attendant
객실 승무원

명 비행, 항공편

We hope that you enjoyed your flight.
즐거운 ▨▨▨▨▨ 이 되셨기를 바랍니다.

✚ fly 동 날다

---

317 household
[háushòuld]

명 가족 (= family); 세대

The whole household was at home that morning.
온 ▨▨▨▨▨ 이 그날 아침 집에 있었다.

---

318 flame
[fleim]

명 불길, 불꽃 (= fire, blaze)
동 타오르다

The museum burst into flames.
그 박물관은 ▨▨▨▨▨ 에 휩싸였다.

---

319 element
[èləmənt]

명 (구성) 요소 (= factor); (물리·화학) 원소

Good health is an important element of success.
건강은 성공의 중요한 █████ 이다.

➕ elementary 형 기본이 되는, 초보의

320 firm
[fəːrm]

형 굳은, 단단한, 단호한 (= solid)
명 회사 (= company)

He gave me a firm handshake.
그는 나와 █████ 악수를 했다.

↔ soft 형 부드러운

Day 22

발음주의

321 ideal
[aidíːəl]

형 이상적인, 더할 나위 없이 좋은 (= perfect)
명 이상

ideal type
이상형

She married an ideal husband.
그녀는 █████ 남자와 결혼했다.

↔ imperfect 형 불완전한

322 formal
[fɔ́ːrməl]

형 형식적인; 의례적인

His politeness is merely formal.
그의 정중함은 다분히 █████ 이다.

↔ informal 형 비공식의, 약식의

323 highlight
[háilàit]

명 가장 중요한 부분, 압권

This part is the highlight of this book.
이 부분이 이 책의 █████ 입니다.

324 mosquito
[məskíːtou]

명 모기

Mosquitoes live in groups.
█████ 는 무리를 지어 산다.

325 explode
[iksplóud]

ex[out] + plode[clap]
밖으로 치다 → 폭발하다

图 폭발하다, 터지다 (= blow up, burst)

A bomb **exploded** at London's railway station.
폭탄 하나가 런던 역에서 ▓▓▓▓▓.

➕ explosion 몡 폭발

326 parliament
[páːrləmənt]

몡 의회, 국회 (= assembly, congress)

Women constitute about 10% of **Parliament**.
여성이 ▓▓▓▓의 약 10%를 구성한다.

327 generation
[dʒènəréiʃən]

몡 세대; 발생

We have a **generation** gap.
우리는 ▓▓▓▓ 차이가 난다.

➕ generate 图 일으키다, 발생시키다

328 in the end

결국, 마침내 (= eventually, finally, at last, after all)

In the end, the princess and prince got married.
▓▓▓▓, 공주와 왕자는 결혼했다.

329 as usual

보통 때처럼, 평소처럼 (= in the usual way)

I got on the bus **as usual**.
나는 ▓▓▓▓ 버스를 탔다.

330 be absorbed in

…에 열중[몰두]하다 (= be lost in)

He **was absorbed in** thought.
그는 생각에 ▓▓▓▓.

Get More   firm의 다양한 뜻

1 톙 단단한
firm muscles
단단한 근육

2 몡 회사
a law **firm**
법률 회사

✎ ANSWERS p. 280

A 영어는 우리말로, 우리말은 영어로 쓰시오.

1	parliament	_____	6	…에 열중하다	_____
2	generation	_____	7	굳은, 단단한, 회사	_____
3	in the end	_____	8	비행, 항공편	_____
4	household	_____	9	폭발하다, 터지다	_____
5	as usual	_____	10	모기	_____

B 빈칸에 알맞은 단어를 [보기]에서 골라 쓰시오. (필요시 형태를 고칠 것)

보기	formal	ideal	flame	element	highlight

Day 22

11 It was the _____ of the event.
그것은 행사의 압권이었다.

12 The family photo became less _____ .
가족 사진은 형식에 덜 구애받게 되었다.

13 The gas can explode if it meets a(n) _____ .
가스통은 불꽃을 만나면 폭발할 수 있다.

14 It is necessary to study the _____ of culture.
문화의 요소들을 공부할 필요가 있다.

15 My dad is the _____ husband for my mom.
우리 아빠는 엄마에게 이상적인 남편이시다.

C 관계있는 것끼리 선으로 연결하시오.

16 household •   • ⓐ strong and tight

17 flight •   • ⓑ to burst violently

18 generation •   • ⓒ a journey made by flying, usually in an airplane

19 firm •   • ⓓ a group of people, often a family, who live together

20 explode •   • ⓔ all the people of about the same age within a society

DAY 23

Once upon a time, 한 농부가 midnight에 길을 걸어가고 있었어요.

그때 무시무시한 호랑이가 나타났어요!

어흥~ 넌 저녁으로 먹어야겠다~

이 고기가 저 보다 flavor가 더 좋을 겁니다…

으흠~

농부는 꾀를 냈어요.

◀ MP3 파일을 들으면서 단어를 따라 읽어보세요.

331
☐☐
issue
[íʃuː]

명 문제(점) (= topic); 발행(물) (= edition)

Let's talk about the issue.

그 ▨▨▨▨ 에 관해 이야기합시다.

332
☐☐
pleasant
[plézənt]

형 즐거운, 기분 좋은 (= pleasing)

We had a pleasant trip last week.

우리는 지난주에 ▨▨▨▨ 여행을 했다.

➕ pleasantly ⊕ 즐겁게
   please ⑧ 기쁘게 하다
   pleasure ⑲ 기쁨, 즐거움
↔ unpleasant ⑱ 불쾌한

333
☐☐
instance
[ínstəns]

명 보기, 사례 (= example)

For instance, apples and pears are fruit.

▨▨▨▨ 들면, 사과와 배는 과일이다.

➕ for instance 예를 들면

---

334 economy
[ikánəmi]

명 경제; 절약

In general, the **economy** is doing well.
전반적으로   상황이 좋다.

➕ economic 형 경제의
    economical 형 검소한
    economics 명 경제학

335 injure
[índʒər]

동 상처를 입히다, 다치게 하다 (= hurt, wound)

He was **injured** in the traffic accident.
그는 교통사고로   .

➕ injury 명 상해, 손상

336 midnight
[mídnàit]

명 한밤중, 자정 (= middle of the night)

Last night, I studied until **midnight**.
어젯밤에 나는   까지 공부했다.

337 flavor
[fléivər]

명 맛 (= taste)

The tea has a wonderful **flavor**.
그 차는 굉장히   이 좋다.

➕ flavorful 형 맛 좋은

sweet flavor
단맛

강세주의

338 influence
[ínfluəns]

in[into] + flu[flow] + ence
안으로 흐름 → 영향

명 영향(력) (= effect)
동 영향을 미치다 (= affect)

Television has a bad **influence** on children.
텔레비전은 아이들에게 나쁜   을 준다.

발음주의

339 merely
[míərli]

부 단지, 다만 (= just, simply)

I said so **merely** as a joke.
나는   농담으로 그렇게 말했다.

➕ mere 형 단순한

340 intelligent
[intélədʒənt]

휑 지적인, 영리한 (= bright, smart)

He is the most intelligent in his class.
그는 그의 반에서 가장 ▨▨▨ 다.

➕ intelligence 몡 지능, 정보
↔ stupid 휑 어리석은

---

341 engineering
[èndʒəníəriŋ]

몡 공학

At university, he studied electrical engineering.
대학교에서 그는 전기 ▨▨▨▨ 을 공부했다.

➕ engineer 몡 기술자

---

342 impact
[ímpækt]

몡 충격, 영향; 충돌 (= collision)

The impact of the collision was huge.
그 충돌의 ▨▨▨ 은 막대했다.

---

343 once upon a time

옛날 옛적에 (= a long time ago)

Once upon a time, there lived an honest but poor fisherman.
▨▨▨▨▨ 정직하지만 가난한 한 어부가 살고 있었다.

---

344 be made of

…로 만들어지다 (물리적 변화)

A car is made of metal.
차는 금속으로 ▨▨▨▨▨.

➕ be made from …로 만들어지다 (화학적 변화)
Wine is made from grapes. 포도주는 포도로 만들어진다.

---

345 be known for

…으로 유명하다

The city is known for sunshine, healthy foods, and movie stars.
그 도시는 햇빛과 건강에 좋은 음식, 그리고 영화배우들로 ▨▨▨▨▨.

Get More   issue의 다양한 뜻

1 몡 발행(물)
the June issue of a magazine
잡지의 6월호

2 몡 문제(점)
political issues
정치 문제

✎ ANSWERS p. 280

A 영어는 우리말로, 우리말은 영어로 쓰시오.

1 flavor　＿＿＿＿＿＿

2 be made of　＿＿＿＿＿＿

3 engineering　＿＿＿＿＿＿

4 instance　＿＿＿＿＿＿

5 merely　＿＿＿＿＿＿

6 즐거운, 기분 좋은　＿＿＿＿＿＿

7 영향(력), 영향을 미치다　＿＿＿＿＿＿

8 …으로 유명하다　＿＿＿＿＿＿

9 충격, 영향, 충돌　＿＿＿＿＿＿

10 옛날 옛적에　＿＿＿＿＿＿

B 빈칸에 알맞은 단어를 [보기]에서 골라 쓰시오. (필요시 형태를 고칠 것)

| 보기 | influence | economy | issue | flavor | intelligent |

11 The ＿＿＿＿＿＿ is unsteady.
경제가 불안정하다.

12 She is a serious and ＿＿＿＿＿＿ student.
그녀는 진지하고 지적인 학생이다.

13 The climate ＿＿＿＿＿＿ crops.
기후는 농작물에 영향을 끼친다.

14 Did you see the July ＿＿＿＿＿＿ of that magazine?
저 잡지의 7월호를 보았니?

15 The fish we had for dinner last night had no ＿＿＿＿＿＿ at all.
우리가 어젯밤에 저녁으로 먹은 생선은 맛이 전혀 없었다.

C 설명하는 단어를 [보기]에서 골라 쓰시오.

| 보기 | instance | injure | midnight | impact | pleasant |

16 12 o'clock in the middle of the night　＿＿＿＿＿＿

17 enjoyable, attractive or making you feel happy　＿＿＿＿＿＿

18 the force or action of one object hitting another　＿＿＿＿＿＿

19 to hurt a person, animal or part of your body　＿＿＿＿＿＿

20 an example, especially one of a particular condition or circumstance　＿＿＿＿＿＿

DAY 24

그녀는 끝없는 업무에 지쳐 버렸어요.

그래서 무작정 여행을 떠났습니다.

와, sunflower가 너무 예쁜걸. 세상은 정말 아름다워~

좋아, 다시 해보는 거야!

여행이 그녀의 mood를 바꾸어 주었습니다.

 MP3 파일을 들으면서 단어를 따라 읽어보세요.

---

346 junior

[dʒúːnjər]

형 손아래의 (= younger)
명 연소자, 손아랫사람

She is junior to me.
그녀는 나보다 [   ] 이다.

↔ senior 형 손위의 명 연장자, 손윗사람

---

347 sunflower

[sʌ́nflàuər]

명 해바라기

Sunflowers can grow as tall as giraffes.
[   ] 는 기린만큼 크게 자랄 수 있다.

---

348 measure

[méʒər]

동 측정하다, (치수를) 재다
명 측정, (측정된) 치수, 크기

tape measure
줄자

They measured the room.
그들은 그 방의 크기를 [   ].

➕ measurement 명 측정, 측량

---

349 **particular**
[pərtíkjulər]

parti[part]+cul[small]+ar
세부적으로 나누어진 → 특별한

형 특별한 (= special); 개개의, 개별적인

I have nothing particular to do this afternoon.
나는 오늘 오후에 ⬚⬚⬚⬚⬚ 일이 없다.

➕ particularly 위 특히
↔ general 형 일반적인

350 **leadership**
[líːdərʃip]

명 지도(력)

Strong leadership made him successful.
강력한 ⬚⬚⬚⬚⬚ 이 그를 성공하게 만들었다.

➕ leader 명 지도자

351 **judge**
[dʒʌ́dʒ]

명 재판관; 심판
동 심판하다

He is a famous judge.
그는 유명한 ⬚⬚⬚⬚⬚ 이다.

➕ judgment 명 판단, 판결

352 **marriage**
[mǽridʒ]

newly married couple
신혼부부

명 결혼; 결혼식 (= wedding)

Her marriage was very sudden.
그녀의 ⬚⬚⬚⬚⬚ 은 아주 갑작스러운 것이었다.

➕ marry 동 …와 결혼하다

353 **mood**
[muːd]

명 기분, 분위기

I went to school in a pleasant mood.
나는 즐거운 ⬚⬚⬚⬚⬚ 으로 등교했다.

354 **lean**
[liːn]

동 기대다, 의지하다
형 여윈, 마른 (= thin)

Don't lean out of a window. You may fall out.
창문에 ⬚⬚⬚⬚⬚ 마라. 떨어질지도 모른다.

355 literature
[lítərətʃər]

명 문학

She studied English literature at the university.
그녀는 대학에서 영[   ]을 공부했다.

➕ literary 형 문학의

---

356 inner
[ínər]

형 안의, 내부의 (= inside, internal)

My grandmother is sleeping in an inner room.
할머니는 [   ] 방에서 주무시고 계신다.

↔ outer 형 밖의

inner pocket
안주머니

---

357 moderate
[mádərət]

형 적당한, 알맞은 (= suitable, proper)

We have to do moderate exercise.
우리는 [   ] 운동을 해야 한다.

➕ moderation 명 적당, 알맞음
↔ extreme 형 극도의, 지나친

---

358 make an effort

노력하다

He made an effort to be kind to children.
그는 아이들에게 친절하게 대하려고 [   ].

---

359 be tired of

…에 싫증나다 (= be bored, be sick of)

I'm tired of your endless complaining.
나는 너의 끝없는 불평에 [   ].

---

360 be in possession of

…을 소유하다 (= have, own)

He is in possession of five houses.
그는 다섯 채의 집을 [   ].

 Get More　　lean의 다양한 뜻

1 동 기대다
　lean against the door
　문에 기대다

2 형 여윈, 마른
　a lean body
　여윈 몸

✎ ANSWERS p. 280

A 영어는 우리말로, 우리말은 영어로 쓰시오.

1	measure	_____	6	노력하다
2	leadership	_____	7	특별한, 개별적인
3	inner	_____	8	손아래의, 연소자
4	sunflower	_____	9	기분, 분위기
5	marriage	_____	10	…을 소유하다

B 빈칸에 알맞은 단어를 [보기]에서 골라 쓰시오. (필요시 형태를 고칠 것)

보기   literature   junior   leadership   moderate   judge

11 There is no _____ in him.
그에게는 지도력이 없다.

12 I have little interest in _____.
나는 문학에 거의 흥미가 없다.

13 Don't _____ a book by its cover.
표지로 책을 판단하지 마라. (속담 : 겉을 보고 속을 판단하지 마라.)

14 _____ exercise is good for your health.
적당한 운동을 하는 것이 건강에 좋다.

15 They are now students at the American _____ High School.
그들은 지금 미국 중학교 학생이다.

C 설명과 일치하는 단어를 골라 ✓표시를 하시오.

16	younger than another	☐inner	☐junior
17	the act of marrying someone	☐moderate	☐marriage
18	the way you feel at a particular time	☐mood	☐judge
19	to find the size, length or amount of something	☐literature	☐measure
20	to move or bend your body in one direction	☐lean	☐particular

Day
24

DAY 25

한 odd한 분위기의 노인이 내게 음식을 좀 나눠달라고 했어.

나는 내가 싸온 음식 모두를 그 노인에게 주었지.

고맙습니다. 이 램프를 선물로 드리죠.

그런데 노인이 준 건 ordinary한 램프가 아니었어. 그건 신비한 마법의 램프였어!

◀) MP3 파일을 들으면서 단어를 따라 읽어보세요.

---

361 obey
[oubéi]

图 복종하다 (= submit to), …에 따르다

The driver didn't **obey** the traffic laws.
그 운전자는 교통법규를 [   ] 않았다.

➕ obedience 圐 복종, 순종
↔ disobey 图 불복종하다

---

362 motion
[móuʃən]

图 움직임 (= movement), 동작, 몸짓

He made a **motion** toward the door.
그는 문 쪽으로 [   ] 였다.

➕ move 图 움직이다

motion picture
영화

강세주의

363 opportunity
[àpərtʃúːnəti]

图 기회 (= chance)

You shouldn't miss this **opportunity**.
너는 이 [   ] 를 놓치면 안 된다.

➕ opportune 圀 적절한

---

364 greet
[griːt]

greeting card
축하 카드

동 인사하다, 맞이하다 (= welcome)

The little girl was too shy to greet us.
그 소녀는 너무 수줍어서 우리에게 ▨▨▨ 못했다.

➕ greeting 명 인사(말)

---

365 none
[nʌn]

대 아무도[하나도] (… 않다) (= not … any, no one)

None of the cake was left.
케이크가 하나도 남아 있지 ▨▨▨▨.

---

366 murder
[mə́ːrdər]

명 살인
동 살인하다 (= kill)

The killer committed murder.
그 암살자는 ▨▨▨ 을 저질렀다.

➕ murderer 명 살인범

Day
25

---

367 odd
[ɑd]

형 이상한, 묘한 (= strange, unusual); 홀수의

Her father was an odd man.
그녀의 아버지는 ▨▨▨ 사람이었다.

↔ normal 형 정상의
even 형 짝수의

---

368 port
[pɔːrt]

명 항구 (= harbor)

We went by ship to a port near the mountain.
우리는 배로 산 근처에 있는 ▨▨▨ 에 갔다.

---

369 nuclear
[njúːkliər]

nuclear waste
핵폐기물

형 핵의, 원자력의

Nuclear weapons are dangerous.
▨▨▨ 무기는 위험하다.

➕ nuclear bomb 핵폭탄

370 organize
[ɔ́ːrɡənàiz]

图 조직하다

The president organized the government.
대통령은 정부를 ▨▨▨▨.

➕ organization 图 조직

371 neglect
[niɡlékt]

neg[not] + lect[gather]
모으지 않다 → 무시하다

图 무시하다 (= ignore), 등한시하다

He neglects his duties.
그는 자신의 의무를 ▨▨▨▨.

372 ordinary
[ɔ́ːrdənèri]

图 보통의, 평범한 (= usual)

He is a very ordinary man.
그는 매우 ▨▨▨▨ 사람이다.

↔ special 图 특별한

373 in a hurry

서둘러 (= in haste)

You don't have to be in a hurry.
너는 ▨▨▨▨ 필요가 없다.

374 by accident

우연히 (= accidentally)

He broke the vase by accident.
그는 ▨▨▨▨ 꽃병을 깼다.

↔ on purpose 고의로

375 hand over

···을 넘겨주다, 양도하다

He handed over the business to his daughter.
그는 자기 딸에게 사업을 ▨▨▨▨.

Get More   odd의 다양한 뜻

1 图 이상한
an **odd** person
괴짜

2 图 홀수의
odd numbers
홀수

3 图 한 짝의
an **odd** glove
장갑 한 짝

✎ ANSWERS p. 281

A 영어는 우리말로, 우리말은 영어로 쓰시오.

1	neglect	_____	6	살인, 살인하다	_____
2	none	_____	7	이상한, 홀수의	_____
3	by accident	_____	8	조직하다	_____
4	opportunity	_____	9	핵의, 원자력의	_____
5	hand over	_____	10	서둘러	_____

B 빈칸에 알맞은 단어를 [보기]에서 골라 쓰시오. (필요시 형태를 고칠 것)

보기	nuclear	greet	obey	odd	port

11 They landed at a small _____ .

그들은 작은 항구에 상륙했다.

12 The soldiers refused to _____ orders.

군인들은 명령에 복종하기를 거부했다.

13 Korea has several _____ power stations.

한국에는 여러 개의 핵발전소가 있다.

14 They made _____ gestures with their hands.

그들은 손으로 이상한 손짓을 했다.

15 I _____ him. I said, "Nice to meet you."

나는 그에게 인사를 했다. "만나서 반가워."라고 나는 말했다.

C 설명하는 단어를 [보기]에서 골라 쓰시오.

보기	neglect	ordinary	opportunity	motion	murder

16 a chance to do something _____

17 to give not enough care or attention to people _____

18 not different or special in any way _____

19 to kill someone intentionally and illegally _____

20 the act or process of moving, or a particular action or movement _____

✎ ANSWERS p. 281

다음 우리말에 맞게 빈칸에 주어진 철자로 시작하는 단어를 쓰시오.

DAY 21

1 희미한 선   a f_____ line
2 감정을 숨기다   conceal one's e_____
3 상상화   a f_____ picture
4 사회악   the social e_____
5 즉석 복권   an i_____ lottery ticket
6 실패로 끝나다   end in f_____

DAY 22

7 야간 비행   a night f_____
8 올림픽 성화   the Olympic f_____
9 긍정적 요소   a positive e_____
10 단단한 근육   f_____ muscles
11 이상향   an i_____ world
12 전후 세대   a post-war g_____

DAY 23

13 유쾌한 식사   a p_____ meal
14 경제 불황   a depressed e_____
15 심야 영화   a m_____ movie
16 마늘 맛   a f_____ of garlic
17 …의 영향을 받아   under the i_____ of
18 기계 공학   mechanical e_____

DAY 24

19 늦은 결혼   a late m_____
20 분위기를 망치다   ruin the m_____
21 나무에 기대다   l_____ against the tree
22 노벨 문학상   the Noble Prize for L_____
23 안뜰   an i_____ court
24 적당한 가격   a m_____ price

DAY 25

25 느린 동작으로   in slow m_____
26 기회 균등   equality of o_____
27 살인 사건   a m_____ case
28 핵폐기물 저장소   n_____ waste storage
29 팀을 조직하다   o_____ a team
30 평범한 얼굴   an o_____ face

이어동사 Ⅰ **up**

grow up

up

use up

up

1. 위로, 위쪽으로

bring up 키우다, 양육하다	예 She **brought up** four children by herself. 그녀는 혼자서 네 명의 아이들을 키웠다.
grow up 성장하다	예 He **grew up** in a small country town. 그는 작은 시골 마을에서 성장했다.
pick up 줍다, 마중 나가다	예 I **picked up** some money on the street. 나는 길에서 돈을 주웠다.
hang up 전화를 끊다	예 He **hung up** before I finished. 그는 내 말이 끝나기도 전에 전화를 끊었다.

2. 완전히, 끝까지

dress up 옷을 차려 입다	예 On Halloween, they **dressed up** as ghosts. 핼러윈에 그들은 귀신 복장을 했다.
give up 포기하다	예 I will never **give up**. 나는 결코 포기하지 않을 것이다.
use up 다 써버리다	예 I **used up** all my money. 나는 돈을 다 써버렸다.

DAY 26

아들, 엄마 외출해서 돌아올 때까지 설거지 좀 부탁할게.

아들은 엄마의 말을 듣지 못한 것처럼 pretend했어요.

으악, 치우라고 부탁했건만 …

Due to 너의 게으름, 피자는 손댈 생각 하지 마!

🔊 MP3 파일을 들으면서 단어를 따라 읽어보세요.

---

376 military
[mílitèri]

military police
헌병대

⑱ 군(대)의, 육군의
⑲ 군대

All young men have to do military service.
모든 젊은이는 ⬚⬚⬚⬚ 복무를 해야 한다.

➕ naval ⑱ 해군의

---

377 polish
[pɔ́liʃ]

shoe polish
구두약

⑧ 닦다, 광나게 하다 (= rub)

I polished my dad's shoes this morning.
나는 오늘 아침 아빠의 구두를 ⬚⬚⬚⬚⬚.

➕ polisher ⑱ 닦는 기구

---

378 outcome
[áutkʌ̀m]

⑲ 결과, 성과 (= result)

He said he was pleased with the outcome.
그는 ⬚⬚⬚⬚⬚ 에 만족한다고 말했다.

379 pitch
[pitʃ]

통 던지다 (= throw); (천막을) 치다

Park Chanho pitched to Mike Lowell.
박찬호가 Mike Lowell에게 _____.

➕ pitcher 명 투수

380 nearby
[níərbái]

형 가까운 (= near)
부 가까이에, 근처에

He took the woman to a nearby hospital.
그는 그 여자를 _____ 병원으로 데리고 갔다.

↔ far 형 먼, 멀리 있는 부 멀리

381 federal
[fédərəl]

형 연합의, 연방의

Independent America had a federal government.
독립을 이룬 미국은 _____ 정부를 구성했다.

382 outstanding
[àutstǽndiŋ]

형 뛰어난 (= excellent), 눈에 띄는

His outstanding point was his kindness.
그의 _____ 점은 상냥함이었다.

➕ outstand 동 돋보이다, 눈에 띄다

383 pretend
[priténd]

pre[before] + tend[stretch]
미리 뻗다 → …인 체하다

동 …인 체하다 (= assume)

I pretended not to see him.
나는 그를 못 본 _____.

384 outline
[áutlàin]

명 윤곽, 개요 (= summary)
동 …의 윤곽을 그리다

She drew the outline of the car.
그녀는 그 차의 _____ 을 그렸다.

385 □□ **pressure**
[préʃər]

pressure cooker
압력솥

圐 압력, 압박 (= stress)

I know you're under a lot of **pressure**.
네가 많은 ▨▨▨▨ 을 받고 있는 거 알고 있어.

➕ press ⑧ 누르다, 압박을 가하다

---

386 □□ **paste**
[peist]

圐 반죽, (붙이는) 풀 (= glue)
⑧ 풀칠하다, 풀로 바르다

She mixed the flour and water into a **paste**.
그녀는 밀가루와 물을 섞어 ▨▨▨▨ 을 만들었다.

---

387 □□ **philosophy**
[filásəfi]

philo[loving] + sophy[wisdom]
지혜를 사랑함 → 철학

圐 철학

I studied **philosophy** at the university.
나는 대학에서 ▨▨▨▨ 을 공부했다.

---

388 □□ **right away**

바로, 즉시, 당장 (= at once, instantly, immediately)

Call him up **right away**.
그에게 ▨▨▨▨ 전화를 걸어라.

---

389 □□ **carry out**

실행하다 (= execute)

She didn't **carry out** her promise.
그녀는 약속을 ▨▨▨▨ 않았다.

---

390 □□ **due to** *n.*

··· 때문에 (= because of, owing to)

I didn't go out **due to** the bad weather.
나는 날씨가 나빴기 ▨▨▨▨ 외출하지 않았다.

👨‍🚀 **Get More** pretend *vs.* intend

1 pretend 圐 ···인 체하다
She **pretended** to be indifferent.
그녀는 무관심한 체했다.

2 intend 圐 ···할 작정이다
She **intended** to go there.
그녀는 거기에 갈 작정이었다.

DAY 26 Wrap-up Test

✐ ANSWERS p. 281

A 영어는 우리말로, 우리말은 영어로 쓰시오.

1 outline _____
2 carry out _____
3 federal _____
4 nearby _____
5 right away _____

6 …인 체하다 _____
7 던지다, (천막을) 치다 _____
8 압력, 압박 _____
9 결과, 성과 _____
10 닦다, 광나게 하다 _____

B 빈칸에 알맞은 단어를 [보기]에서 골라 쓰시오. (필요시 형태를 고칠 것)

| 보기 | paste | philosophy | nearby | polish | pretend |

11 The man is _____ the floor.
그 남자는 바닥을 닦고 있다.

12 She _____ she didn't know me.
그녀는 나를 모르는 체했다.

13 Excuse me. Is there a hospital _____ ?
실례합니다. 이 근처에 병원이 있나요?

14 It's a glue to _____ the kite on the paper.
그것은 연을 종이에 붙이기 위한 풀이다.

15 Teenagers are really interested in _____ .
십대들은 철학에 정말 관심이 많다.

C 설명하는 단어를 [보기]에서 골라 쓰시오.

| 보기 | outcome | nearby | pressure | outstanding | outline |

16 very much better than usual _____
17 the result of an action, situation or event _____
18 a statement of the main facts, ideas or items _____
19 not far away in distance _____
20 the force produced by pressing against something _____

Day 26

DAY 27

저는 수영에 talent를 가지고 있어요.

하지만 한순간 방심하고 말았어요.

물에 빠진 저를 한 witness가 발견했어요.

그녀는 119에 신고를 했고 구급요원이 저를 rescue해 주었어요.

◀) MP3 파일을 들으면서 단어를 따라 읽어보세요.

---

391 thread
[θred]

명 실 (= string)
동 실을 꿰다

She put a needle and thread in her bag.
그녀는 가방 안에 바늘과   을 넣었다.

---

392 seaside
[síːsàid]

명 해안, 해변 (= seashore)

People are relaxing at the seaside.
사람들이   에서 편하게 쉬고 있다.

seaside resort
해수욕장

➕ sea 명 바다, 해양

---

393 wallet
[wɔ́lit]

명 지갑 (= purse)

I lost my wallet on the subway.
나는 지하철에서   을 잃어버렸다.

---

394 draw

[drɔː]

draw – drew – drawn

drawing board
제도판

图 그리다; 끌어당기다 (= pull, drag)

Ben is drawing on the blackboard.
Ben은 칠판에 그림을 [   ] 있다.

➕ drawing 圆 그림

---

395 stare

[stɛər]

图 응시하다 (= gaze)

She stared at me.
그녀는 나를 (빤히) [   ].

---

396 private

[práivət]

圈 개인적인, 사적인 (= personal, individual)

He doesn't want to talk about his private life.
그는 [   ] 생활에 대해 말하기를 원하지 않는다.

➕ privacy 圆 사생활
  in private 은밀히
↔ public 圈 공적인, 공개의

---

397 talent

[tǽlənt]

圆 재능 (= gift); 연기자

My nephew has a talent for sports.
내 조카는 스포츠에 [   ]이 있다.

➕ talented 圈 재능 있는, 유능한

---

398 planet

[plǽnit]

圆 행성

Mercury is the smallest of all the planets.
수성은 모든 [   ] 중에서 가장 작다.

---

399 volunteer

[vàləntíər]

volunt[will] + eer[person]
자발적인 사람 → 지원자

圆 자원봉사자, 지원자
图 봉사활동을 하다

Last year, I worked as a volunteer at an orphanage.
작년에 나는 고아원에서 [   ]로 일했다.

➕ voluntary 圈 자발적인

400 religion
[rilídʒən]

명 종교

Music is a religion to Peter.
음악은 Peter에게 [   ]와 같다.

➕ religious 형 종교의, 종교적인

401 witness
[wítnis]

명 목격자, 증인 (= observer)
동 목격하다

"He looked down," a witness said.
"그는 우울해 보였어요."라고 한 [   ]가 말했다.

402 rescue
[réskju:]

동 구출하다 (= save)
명 구출, 구조

A neighbor rescued a child from drowning.
한 이웃 사람이 물에 빠진 아이를 [   ].

↔ desert 동 버리다

rescue operation
구조 작업

403 call for

…을 요구하다 (= demand, require)

He called for a meeting.
그는 만남을 [   ].

404 be willing to v.

기꺼이 …하다

She is willing to make the sacrifice.
그녀는 [   ] 희생하려 한다.

405 owing to n.

… 때문에 (= because of, due to, on account of)

I couldn't sleep well last night owing to mosquitoes.
나는 어젯밤에 모기 [   ] 잠을 푹 잘 수가 없었다.

Get More　talent의 다양한 뜻

1 명 재주, 재능
a man of talent 재주꾼

2 명 배우, 연기자
a TV talent 텔레비전 연기자

✏ ANSWERS p. 281

Ⓐ 영어는 우리말로, 우리말은 영어로 쓰시오.

1	planet	_____	6	구출하다, 구출	_____
2	call for	_____	7	해안, 해변	_____
3	draw	_____	8	실, 실을 꿰다	_____
4	talent	_____	9	기꺼이 …하다	_____
5	owing to	_____	10	응시하다	_____

Ⓑ 빈칸에 알맞은 단어를 [보기]에서 골라 쓰시오. (필요시 형태를 고칠 것)

보기	private	religion	volunteer	wallet	witness

11 My _____ is made of leather.
내 지갑은 가죽으로 만들어졌다.

12 The _____ has no relation to the accident.
그 목격자는 그 사고와 아무런 관련이 없다.

13 _____ has played an important role in society.
종교는 사회에서 중요한 역할을 해 왔다.

14 Morris is very wealthy and has a _____ jet.
Morris는 아주 부유하며 개인용 제트기를 소유하고 있다.

15 I'm planning to do some _____ work at nursing homes.
나는 양로원에서 자원봉사활동을 할 계획이다.

Ⓒ 관계있는 것끼리 선으로 연결하시오.

16 volunteer •　　　　　• ⓐ a belief in one or more gods

17 planet •　　　　　• ⓑ the areas or towns near the sea

18 religion •　　　　　• ⓒ to save someone from a situation of danger

19 seaside •　　　　　• ⓓ a person who does a job without being paid for it

20 rescue •　　　　　• ⓔ a large round object in space that moves around the sun or another star

DAY
28

◀》 MP3 파일을 들으면서
단어를 따라 읽어보세요.

---

406 **risk**
☐☐
[risk]

📕 위험 (= danger)

Mountain climbing involves taking great risks.
등산에는 큰 ⬛⬛⬛ 이 따른다.

➕ risky 📘 위험한, 모험적인
  riskful 📘 위험성이 많은

 발음주의

407 **dawn**
☐☐
[dɔːn]

📕 새벽 (= daybreak)

It has been raining since dawn.
비가 ⬛⬛⬛⬛ 부터 줄곧 내리고 있다.

↔ dusk 📕 황혼
  sunset 📕 일몰

---

408 **sort**
☐☐
[sɔːrt]

two sorts of books
두 종류의 책

📕 종류 (= kind)
📗 분류하다

I don't like that sort of book.
나는 그런 ⬛⬛⬛⬛ 의 책은 좋아하지 않는다.

➕ sorting 📕 구분, 분류

---

409 **scold** [skould]	통 꾸짖다 (= reprove)	

409 scold [skould]
통 꾸짖다 (= reprove)

The teacher scolded a student for being late.
선생님은 지각한 것에 대해 한 학생을 〿〿〿〿.

↔ praise 통 칭찬하다

---

410 throughout [θrùːáut]
전 (시간) 내내, (장소) 구석구석까지
부 처음부터 끝까지, 도처에

It rained throughout the night.
비가 밤 〿〿〿〿 내렸다.

---

411 regret [rigrét]
regret – regretted – regretted
동 후회하다, 유감스럽게 생각하다
(= repent, feel sorry about)

I regret that I didn't study hard for the exam.
나는 시험 공부를 열심히 하지 않았던 것을 〿〿〿〿.

➕ regretful 형 뉘우치는

Day 28

---

412 wage [weidʒ]
명 임금, 급료 (= salary, pay)

They claimed more wages.
그들은 보다 많은 〿〿〿〿을 요구했다.

발음주의
413 breathe [bríːð]
동 숨쉬다, 호흡하다

Relax and breathe deeply.
긴장을 풀고 깊게 〿〿〿〿.

➕ breath [breθ] 명 숨, 호흡

---

414 violent [váiələnt]
형 난폭한, 격렬한 (= brutal)

He was a violent and dangerous man.
그는 〿〿〿〿고 위험한 사람이었다.

violent movie
폭력 영화

➕ violence 명 폭력
↔ gentle 형 온화한, 친절한

415 require
[rikwáiər]

re[again]+quire[ask]
다시 요구하다 → 요구하다

통 필요로 하다, 요구하다
   (= demand, call for, ask for)

Soccer **requires** teamwork more than individual skill.
축구는 개인기보다 팀워크를 더   .

➕ requirement 명 필요, 요구

---

416 clone
[kloun]

명 복제 (= copy)
통 복제하다

I read about a human **clone** in the newspaper.
나는 신문에서 인간   에 대한 글을 읽었다.

---

417 virtual
[vɔ́:rtʃuəl]

형 사실상의 (= practical); 가상의

He is the **virtual** head of the business.
그는 그 회사의   사장이다.

➕ virtually 분 사실상, 실질적으로

---

418 get back

돌아오다 (= return, come back)

I'll **get back** at six.
나는 6시에   것이다.

---

419 consist of

…으로 이루어지다, 구성되다
(= be composed of, be made up of)

Most books **consist of** several chapters.
대부분의 책은 몇 개의 장으로   .

---

420 prevent A from B

A로 하여금 B하지 못하게 하다
(= keep[stop] A from B)

Bad weather **prevented** us **from** starting.
악천후가 우리로 하여금 출발하지   .

Get More   virtual *vs.* virtuous

1 virtual 형 가상의; 사실상의
virtual reality
가상 현실

2 virtuous 형 고결한
a **virtuous** life
고결한 생애

Wrap-up **T**est

✎ ANSWERS p. 282

A 영어는 우리말로, 우리말은 영어로 쓰시오.

1	sort	_____	6	임금, 급료	_____
2	risk	_____	7	유감스럽게 생각하다	_____
3	scold	_____	8	난폭한, 격렬한	_____
4	get back	_____	9	복제, 복제하다	_____
5	virtual	_____	10	새벽	_____

B 빈칸에 알맞은 단어를 [보기]에서 골라 쓰시오. (필요시 형태를 고칠 것)

보기	require	throughout	violent	breathe	wage

11 We _____ to know it.
우리는 그것을 알 필요가 있다.

12 I hate such _____ films.
나는 그런 폭력적인 영화들을 싫어한다.

13 Cars pollute the air that we _____.
자동차는 우리가 숨쉬는 공기를 오염시킨다.

14 The workers have asked for a _____ increase.
근로자들은 급료 인상을 요구해 왔다.

15 The top of the mountain is covered with snow _____ the year.
그 산의 정상은 일 년 내내 눈으로 덮여 있다.

Day 28

C 설명과 일치하는 단어를 골라 ✓표시를 하시오.

16	to need or demand something	☐require	☐regret
17	likely to hurt or kill someone else	☐virtual	☐violent
18	money that you receive as payment	☐wage	☐clone
19	to take air into and out of your lungs	☐consist	☐breathe
20	to criticize someone who has done something wrong	☐scold	☐sort

DAY 29

◀)) MP3 파일을 들으면서
단어를 따라 읽어보세요.

---

421 refuse

[rifjúːz]

re[back] + fuse[pour]
뒤로 붓다 → 거절하다

⑧ 거절하다 (= reject)

She refused his proposal of marriage.
그녀는 그의 청혼을 _____.

➕ refusal ⑲ 거절, 거부
⟷ accept ⑧ 수락하다

---

422 spot

[spɑt]

tourist spot
관광지

⑲ 얼룩, 점 (= stain); 장소, 지점
⑧ …을 더럽히다

She has an ink spot on her sleeve.
그녀의 소매에 잉크 _____ 이 있다.

➕ spotted ⑲ 얼룩진, 오점이 있는

---

423 forever

[fərévər]

⑮ 영원히 (= eternally)

I hope our friendship will last forever.
나는 우리의 우정이 _____ 지속되길 바란다.

---

424 region
[ríːdʒən]

명 지방, 지역 (= area)

The tropical region is very hot.
열대 ▨▨▨▨ 은 매우 덥다.

➕ regional 형 지역의

---

425 examination
[igzæmənéiʃən]

examination paper
시험지

명 시험, 조사 (= exam, test)

I passed the entrance examination.
나는 입학 ▨▨▨▨ 에 합격했다.

➕ examine 동 검사하다, 시험하다

---

426 prove
[pruːv]

prove – proved – proven

동 증명하다, 입증하다 (= verify)

You're wrong, and I can prove it.
네가 틀렸고, 나는 그것을 ▨▨▨▨ 수 있다.

➕ proof 명 증거, 증명
↔ disprove 동 반증을 들다

---

427 mostly
[móustli]

부 대부분, 주로 (= mainly, chiefly)

The workers were mostly volunteers.
일하고 있는 사람들은 ▨▨▨▨ 자원봉사자들이었다.

➕ most 형 가장 큰

---

428 somehow
[sʌ́mhàu]

부 어떻게 해서든지; 어쩐지

I'll finish this book somehow.
나는 ▨▨▨▨ 이 책을 다 읽겠다.

---

429 tin
[tin]

명 주석

Bronze holds a certain amount of tin.
청동은 어느 정도의 ▨▨▨▨ 을 함유하고 있다.

430 severe
[sivíər]

형 엄한, 엄격한 (= strict)

Don't be so **severe** with the children.
아이들에게 그렇게 ░░░░ 하지 마라.

➕ severely 및 심하게, 엄하게
↔ generous 형 관대한

발음주의

431 sympathy
[símpəθi]

명 동정 (= pity, compassion), 연민

These people need our help and **sympathy**.
이 사람들은 우리의 도움과 ░░░░ 을 필요로 한다.

➕ sympathize 동 동정하다
↔ indifference 명 무관심

---

432 request
[rikwést]

re[again] + quest[ask]
다시 요구하다 → 요청하다

동 요청하다 (= ask for, demand, call for, require)

He **requested** us to stop talking.
그는 우리에게 말을 하지 말라고 ░░░░.

---

433 get to *n.*

···에 도착하다 (= reach, arrive at)

I had to **get to** the hospital on time.
나는 시간에 맞춰 병원에 ░░░░ 했다.

---

434 neither A nor B

A도 아니고 B도 아닌

I'm **neither** tall **nor** handsome.
나는 키가 크지도 잘 생기지도 ░░░░.

---

435 had better *v.*

···하는 게 낫다 (= would rather)

You**'d better** do your homework first.
너는 먼저 숙제를 하는 게 ░░░░.

Get More   somehow의 다양한 뜻

1 부 어떻게 해서든지
I'll finish this **somehow**.
나는 어떻게 해서든 이것을 끝내겠다.

2 부 어쩐지, 아무래도
She looked different **somehow**.
어쩐지 그녀가 달라 보였다.

✎ ANSWERS p. 282

A 영어는 우리말로, 우리말은 영어로 쓰시오.

1 get to _____
2 examination _____
3 somehow _____
4 had better _____
5 neither A nor B _____

6 대부분, 주로 _____
7 지방, 지역 _____
8 얼룩, 점, 장소, 지점 _____
9 증명하다, 입증하다 _____
10 영원히 _____

B 빈칸에 알맞은 단어를 [보기]에서 골라 쓰시오. (필요시 형태를 고칠 것)

| 보기 | sympathy | prove | tin | severe | refuse |

11 We can _____ her innocence.
우리는 그녀의 결백을 입증할 수 있다.

12 I felt _____ for the poor old woman.
나는 그 가난한 할머니에게 동정심을 느꼈다.

13 I didn't have the courage to _____ his offer.
나는 그의 제안을 거절할 용기가 없었다.

14 _____ shines like silver but is softer and cheaper.
주석은 은처럼 빛나지만 은보다 더 부드럽고 값도 더 싸다.

15 Though my father was _____ , he was full of affection for us.
우리 아버지는 비록 엄격하지만, 우리에게 많은 애정을 가지고 계셨다.

C 설명하는 단어를 [보기]에서 골라 쓰시오.

| 보기 | spot | examination | region | forever | request |

16 a small mark on something _____
17 a spoken or written test of knowledge _____
18 to ask for something politely or formally _____
19 for all time, without end _____
20 a large area of a country or of the world, usually _____
without exact limits

DAY 30

저는 cartoon을 참 좋아합니다.

Cartoon은 재미있고 또한 fantastic하거든요~

어머!

몰라 몰라 몰라

In my opinion, 만화는 많은 교훈도 담고 있어요.

인과응보로군.

Someday, 저는 만화가가 되고 싶어요.

◀) MP3 파일을 들으면서 단어를 따라 읽어보세요.

---

436 cartoon
[kɑːrtúːn]

cartoonist
만화가

명 만화 (= comic)

I'm interested in cartoons.
나는 ▨▨▨▨▨ 에 관심이 있다.

➕ cartoonist 명 만화가

---

437 standard
[stǽndərd]

형 표준의 (= usual, normal)
명 표준

He was below the standard height.
그는 ▨▨▨▨▨ 키보다 작았다.

➕ standardize 동 표준화하다

---

438 fantastic
[fæntǽstik]

형 환상적인 (= fanciful)

I like him because of his fantastic voice.
나는 ▨▨▨▨▨ 목소리 때문에 그를 좋아한다.

➕ fantasy 명 상상, 공상

---

439 colorful
[kʌ́lərfəl]

형 다채로운, 색채가 풍부한

A hanbok is very **colorful** and graceful.
한복은 매우 〔　　　〕고 우아하다.

✚ color 명 색깔
↔ colorless 형 퇴색한

---

440 reserve
[rizə́ːrv]

re[back] + serve[keep]
뒤에서 지키다 → 예약하다

통 예약하다 (= book, arrange for); 남겨 두다

I'd like to **reserve** a flight to Chicago.
시카고행 비행기표를 〔　　　〕 싶습니다.

✚ reservation 명 예약, 보류

---

441 someday
[sʌ́mdèi]

부 (미래의) 언젠가

Someday she will be a famous actress.
그녀는 유명한 여배우가 될 것이다.

---

442 graduate
[grǽdʒuèit]

통 졸업하다

She **graduated** from high school last year.
그녀는 작년에 고등학교를 〔　　　〕.

✚ graduation 명 졸업, 졸업식

Day 30

443 Pacific
[pəsífik]

발음주의

명 태평양
형 태평양의

Pacific Ocean
태평양

The **Pacific** is the widest ocean.
〔　　　〕은 가장 광대한 바다이다.

✚ pacific 형 평화로운

---

444 wealth
[welθ]

명 부, 재산 (= fortune)

Health is more important than **wealth**.
건강이 〔　　　〕보다 더 중요하다.

✚ wealthy 형 부유한, 풍부한
↔ poverty 명 가난, 결핍

---

445 whisper
[hwíspər]

📖 속삭이다
📖 속삭임

He **whispered** to me in class.
그는 수업 중에 내게 ░░░░░░░.

➕ whispering 📖 속삭이는
↔ shout 📖 외치다

강세주의

446 pollute
[pəlúːt]

📖 오염시키다 (= stain)

We should not **pollute** the air.
우리는 공기를 ░░░░░░░ 말아야 한다.

➕ pollution 📖 오염
pollution 📖 오염된
↔ purify 📖 맑게 하다, 정화하다

water pollution
수질 오염

447 whistle
[hwísl]

📖 호각, 휘파람
📖 휘파람을 불다

The policeman is blowing a **whistle**.
경찰이 ░░░░░░░ 을 불고 있다.

448 in one's opinion

…의 의견으로는 (= I think …)

In my opinion, we should think about others in public places.
░░░░░░░, 공공장소에서 다른 사람들을 배려해야 한다.

449 for oneself

혼자 힘으로 (= independently)

I solved the difficult math problem **for myself**.
나는 그 어려운 수학 문제를 ░░░░░░░ 풀었다.

450 have an effect on

…에 영향을 미치다 (= affect)

Colors **have an effect on** our moods.
색깔은 우리의 기분에 ░░░░░░░.

Get More Pacific vs. pacific

1 **Pacific** 📖 태평양
APEC(Asia-**Pacific** Economic Cooperation)
아시아태평양 경제 협력 기구

2 **pacific** 📖 평화로운
a **pacific** personality
온화한 성격

DAY 30   Wrap-up Test

ANSWERS p. 282

A 영어는 우리말로, 우리말은 영어로 쓰시오.

1 whisper _____
2 pollute _____
3 fantastic _____
4 whistle _____
5 Pacific _____

6 …의 의견으로는 _____
7 다채로운, 색채가 풍부한 _____
8 혼자 힘으로 _____
9 표준의, 표준 _____
10 …에 영향을 미치다 _____

B 빈칸에 알맞은 단어를 [보기]에서 골라 쓰시오. (필요시 형태를 고칠 것)

| 보기 | wealth | graduate | whistle | reserve | someday |

11 I'm so happy to _____ .
나는 졸업하게 되어 무척 기쁘다.

12 I'd like to _____ a table for two.
두 명 자리를 예약하고 싶은데요.

13 I hope you will visit Korea _____ .
난 네가 언젠가 한국을 방문하길 바란다.

14 _____ is just a means to an end.
부는 단지 목적에 도달하는 수단일 뿐이다.

15 The teacher blew a _____ to start the race.
선생님은 경주를 시작하도록 호각을 불었다.

C 빈칸에 알맞은 단어를 괄호 안에서 골라 쓰시오.

16 (reserve / reservation)
  ⓐ _____ a table for two people
  ⓑ a hotel _____

17 (polluted / pollution)
  ⓐ environmental _____
  ⓑ because of _____ water

18 (wealth / wealthy)
  ⓐ personal _____
  ⓑ a _____ young man

19 (colorful / color)
  ⓐ my favorite _____
  ⓑ _____ paintings

20 (cartoon / cartoonist)
  ⓐ how to be a _____
  ⓑ a famous _____ character

Day 30

DAY 26~30 | Review Test

🖉 ANSWERS p. 282

다음 우리말에 맞게 빈칸에 주어진 철자로 시작하는 단어를 쓰시오.

DAY 26

1. 군대 생활   a m_____ life
2. 가구를 광나게 닦다   p_____ the furniture
3. 결과를 예측하다   predict the o_____
4. 고혈압   high blood p_____
5. 뛰어난 공연   an o_____ performance
6. 연방 국가   a f_____ state

DAY 27

7. 바늘과 실   a needle and t_____
8. 가정 교사   a p_____ tutor
9. 생명체가 없는 행성   a lifeless p_____
10. 자원봉사를 하다   do v_____ work
11. 성직자, 목사   ministers of r_____
12. 구조팀   a r_____ party

DAY 28

13. 새벽녘에   at d_____
14. 밤새도록   t_____ the night
15. 난폭한 행동   v_____ actions
16. 임금 인상   a w_____ raise
17. 숨을 들이마시다   b_____ in
18. 가상의 일   v_____ work

DAY 29

19. 추운 지역   a cold r_____
20. 선물을 거절하다   r_____ a gift
21. 양철 깡통   a t_____ can
22. 엄벌   a s_____ punishment
23. 동정을 나타내다   express s_____
24. 환불을 요청하다   r_____ a refund

DAY 30

25. 만화 캐릭터   c_____ characters
26. 표준 영어   s_____ English
27. 환상적인 전망   a f_____ view
28. 색상이 화려한 넥타이   a c_____ tie
29. 예약석   a r_____ seat
30. 환경 오염   environmental p_____

PART

II

필수 어휘로
내신 다지기

Day 31~50

DAY 31

◀》 MP3 파일을 들으면서
단어를 따라 읽어보세요.

451
□□
shame
[ʃeim]

명 부끄러움

There is no shame in learning.
배움에 ░░░░░ 이란 없다.

➕ shameful 형 부끄러운
shameless 형 부끄러움을 모르는

452
□□
kite
[kait]

kiteflying
연날리기

명 연

His heart flies high with the kite.
그의 마음은 ░░░░░ 과 함께 높이 날아간다.

➕ fly a kite 연을 날리다

453
□□
royal
[rɔ́iəl]

형 왕의 (= regal), 왕실의

She was born in the royal family.
그녀는 ░░░░░ 가족으로 태어났다.

➕ royalty 명 왕위, 왕권

---

454 wool
[wul]

woolen goods
양모 제품

명 양모

This blanket is made from wool.
이 담요는 ▨▨▨▨▨ 로 만들어졌다.

➕ woolen 형 양모의

---

455 rate
[reit]

명 비율 (= degree); 요금, 가격

The death rate from cancer is rising.
암에 의한 사망 ▨▨▨▨▨ 이 증가하고 있다.

---

456 nowadays
[náuədèiz]

부 요즘에는

Nowadays many people go abroad.
▨▨▨▨▨ 많은 사람들이 해외로 나간다.

---

457 scare
[skɛər]

scarecrow
허수아비

동 놀라게 하다 (= frighten)

Loud noises can scare animals or birds.
큰 소리는 동물들이나 새들을 ▨▨▨▨▨ 수 있다.

➕ scary 형 겁 많은, 무서운
scared 형 겁먹은

---

458 retire
[ritáiər]

re[back] + tire[draw]
뒤로 끌다 → 은퇴하다

동 은퇴하다 (= stop working); 물러가다

My father retired when he was 65 years old.
아버지는 65세 때 ▨▨▨▨▨.

➕ retirement 명 은퇴

---

459 sweep
[swiːp]

sweep – swept – swept

동 청소하다, 쓸다 (= brush, clean)

Tim swept the path in front of the house.
Tim은 집 앞길을 ▨▨▨▨▨.

➕ sweeper 명 청소부

460 threaten
□□
[θrétn]

통 위협하다, 협박하다 (= endanger)

She **threatened** me with a gun.
그녀는 총으로 나를   .

➕ threat 명 위협
↔ protect 동 보호하다

---

461 resistance
□□
[rizístəns]

명 저항, 반대 (= opposition)

There's a lot of **resistance** to the opinion.
그 의견에 대한 거센   이 있다.

➕ resist 동 저항하다
　 resistant 형 저항하는
↔ support 명 지지 동 지지하다

---

462 fertilize
□□
[fɔ́ːrtəlàiz]

통 (토지를) 비옥하게 하다, 기름지게 하다 (= enrich)

We should **fertilize** the soil if we want to grow healthy plants.
튼튼한 식물을 재배하고 싶다면 토지를   한다.

➕ fertile 형 기름진, 비옥한
　 fertilizer 명 비료

---

463 in advance
□□

미리 (= beforehand, previously)

Don't forget to check your reservation **in advance**.
    예약을 확인해 두는 것을 잊지 마십시오.

---

464 look into
□□

조사하다 (= investigate, examine)

They **looked into** the matter.
그들은 그 문제를   .

---

465 on account of
□□

··· 때문에 (= because of, due to, owing to)

The picnic was postponed **on account of** the rain.
소풍이 비   연기되었다.

Get More　rate의 다양한 뜻

1 명 비율
the **rate** of discount 할인율

2 명 요금
hotel **rates** 호텔 요금

✎ ANSWERS p. 283

A 영어는 우리말로, 우리말은 영어로 쓰시오.

1 look into _____
2 sweep _____
3 fertilize _____
4 threaten _____
5 in advance _____

6 저항, 반대 _____
7 왕의, 왕실의 _____
8 … 때문에 _____
9 놀라게 하다 _____
10 비율, 요금, 가격 _____

B 빈칸에 알맞은 단어를 [보기]에서 골라 쓰시오. (필요시 형태를 고칠 것)

| 보기 | wool | kite | rate | royal | nowadays |

11 I'm on a diet _____.
나는 요즘 다이어트 중이다.

12 We flew the _____ high in the sky.
우리는 하늘 높이 연들을 날렸다.

13 There is no _____ road to learning.
배움에 왕도란 없다.

14 The country's main products are _____ and meat.
그 나라의 주요 생산품은 양모와 고기이다.

15 The birth _____ is falling in our country every year.
우리나라에서는 매년 출생률이 떨어지고 있다.

C 설명하는 단어를 [보기]에서 골라 쓰시오.

| 보기 | scare | resistance | retire | sweep | threaten |

16 to make someone feel frightened _____
17 to clean a room, surface, etc. by using a broom _____
18 to stop working, because you have reached a certain age _____
19 the action of opposing something that you disagree with _____
20 to say that you will cause someone harm if the person does not do something _____

Day **31**

DAY
32

MP3 파일을 들으면서
단어를 따라 읽어보세요.

저는 classmate와
산으로 하이킹을 갔어요.

앗! 뱀이다!

모두 움직이지마!

움직이지 않으면 뱀이 우리를
나무라고 생각할거야.

제가 wisdom을 발휘했어요.

나무였나?

---

466 stove
[stouv]

명 난로

We made a fire in the stove.
우리는 [   ]에 불을 피웠다.

---

467 classmate
[klǽsmèit]

명 동급생, 반 친구

I'm now introducing myself to my classmates.
나는 지금 나의 [   ]에게 자기소개를 하고 있다.

➕ class 명 학급; 수업

---

468 shade
[ʃeid]

명 그늘

I took a rest under the shade of the trees.
나는 나무 [   ] 밑에서 휴식을 취했다.

➕ shaded 형 그늘진

shade of a tree
나무 그늘

469 urban
[ə́:rbən]

형 도시의

My grandparents preferred rural life to urban life.

나의 조부모님은 [   ] 생활보다 시골 생활을 더 좋아하셨다.

↔ rural 형 시골의

---

470 wisdom
[wízdəm]

wisdom tooth
사랑니

명 현명함, 지혜 (= intelligence)

He has courage and wisdom.

그는 용기와 [   ]를 지녔다.

✚ wise 형 현명한
↔ foolishness 명 어리석음

---

471 range
[reindʒ]

명 범위 (= scope); (조리용) 레인지
동 가지런히 하다

He has a wide range of knowledge.

그는 방대한 [   ] 지식을 갖고 있다.

Day 32

발음주의

472 southern
[sʌ́ðərn]

형 남쪽의

The typhoon hit the southern areas.

태풍이 [   ] 지역을 강타했다.

✚ south 형 남쪽
↔ northern 형 북쪽의

---

473 proof
[pru:f]

명 증거 (= evidence), 증명

There is no proof that he was there.

그가 그곳에 있었다는 [   ]는 없다.

✚ prove 동 증명하다

---

474 wander
[wándər]

동 (정처 없이) 돌아다니다

I love to wander in the woods by myself.

나는 혼자 숲 속에서 [   ] 것을 좋아한다.

✚ wandering 형 돌아다니는

475 rapid
[rǽpid]

rapid train 빠른 열차

휑 빠른 (= fast, quick)

He is a rapid reader.
그는 ▨▨▨▨ 독서가이다.

➕ rapidly 휑 빠르게
rapidity 휑 급속
↔ slow 휑 느린

강세주의

476 specific
[spisífik]

휑 명확한, 구체적인 (= particular)

What is your specific goal in life?
당신 인생의 ▨▨▨▨ 목표는 무엇입니까?

➕ specify 동 일일이 열거하다
↔ general 휑 일반적인, 대체적인

---

477 ultimate
[ʌ́ltəmət]

ultim[last] + ate
마지막의 + ate는 성질을 의미함
→ 최후의

휑 최후의, 궁극의 (= eventual)

Peace was the ultimate goal of the meeting.
평화가 그 모임의 ▨▨▨▨ 목표였다.

---

478 suffer from

…으로 고통 받다 (= be troubled with)

She's suffering from a terrible headache.
그녀는 심한 두통으로 ▨▨▨▨ 있다.

---

479 in detail

상세히, 자세히 (= minutely)

He told us about the car accident in detail.
그는 우리에게 그 차 사고에 대해 ▨▨▨▨ 말했다.

---

480 can afford to v.

…할 여유가 있다

She can afford to buy a car.
그녀는 자동차를 살 ▨▨▨▨ 있다.

Get More   range의 다양한 뜻

1 휑 열, 줄
the first **range** of soldiers
제1열의 병사들

2 휑 범위
a wide **range**
범위

3 휑 (조리용) 레인지
a gas **range**
가스레인지

✎ ANSWERS p. 283

A 영어는 우리말로, 우리말은 영어로 쓰시오.

1 ultimate _____
2 in detail _____
3 stove _____
4 wander _____
5 range _____

6 명확한, 구체적인 _____
7 …으로 고통 받다 _____
8 빠른 _____
9 …할 여유가 있다 _____
10 동급생, 반 친구 _____

B 빈칸에 알맞은 단어를 [보기]에서 골라 쓰시오. (필요시 형태를 고칠 것)

| 보기 | urban | proof | wisdom | shade | southern |

11 I have certain _____ of it.
나는 그것에 대한 확실한 증거를 가지고 있다.

12 My husband is a man of _____.
내 남편은 현명한 사람이다.

13 A bench stood in the _____ of the apple tree.
사과나무 그늘에 벤치가 놓여 있었다.

14 Buffalo are usually found in _____ and eastern Africa.
물소는 아프리카의 남부와 동부에서 흔히 볼 수 있다.

15 Many people are moving from _____ areas to rural ones.
많은 사람들이 도시 지역에서 농촌 지역으로 옮겨가고 있다.

C 관계있는 것끼리 선으로 연결하시오.

16 rapid •
17 southern •
18 proof •
19 wisdom •
20 urban •

• ⓐ information that shows that something is true
• ⓑ happening or moving very quickly
• ⓒ located in the south or facing south
• ⓓ belonging or relating to a town or city
• ⓔ the ability to make good judgments based on experience

Day
32

잘못은 그냥 넘어가지 않으시죠.
매우 무서운 분 같았어요.

우리 담임선생님은 매우
strict하신 분입니다.

🔊 MP3 파일을 들으면서
단어를 따라 읽어보세요.

그런데 어제 제가 pool에 빠졌을 때,
선생님께서 저를 구해주셨어요.

저는 담임선생님의 사랑에 깊이
impressed되었어요.

---

481 **pool**
[puːl]

swimming pool
수영장

🔲 풀장 (= swimming pool); 웅덩이 (= pond)

I went swimming in a pool near my house.
나는 집 근처 ▒▒▒▒▒으로 수영하러 갔었다.

---

482 **salary**
[sǽləri]

🔲 봉급 (= wage, earnings)

I'm saving half of my salary.
나는 ▒▒▒▒▒▒▒의 반을 저금하고 있다.

➕ pay a salary 급료를 지불하다

---

483 **anymore**
[ènimɔ́ːr]

🔲 (부정문·의문문) 이제는, 더 이상

She told me not to phone her anymore.
그녀는 내게 ▒▒▒▒▒ 전화하지 말라고 말했다.

---

484 seldom
[séldəm]

ⓟ 좀처럼 … 않는 (= rarely)

He is seldom at home on Sundays.
그는 일요일에 ▨▨▨▨ 집에 없다.

↔ often ⓟ 종종

485 impress
[imprés]

im[into] + press
안쪽으로 누르다 → 감동시키다

ⓥ 감동시키다

The performance impressed me deeply.
그 공연은 내게 깊은 ▨▨▨▨.

✚ impressive ⓐ 인상적인

486 peaceful
[píːsfəl]

peace agreement
평화 협정

ⓐ 평화로운, 태평한

Rural life is usually more peaceful than city life.
시골 생활은 대체로 도시 생활보다 더 ▨▨▨▨ 다.

✚ peace ⓝ 평화
  peacefully ⓟ 평화롭게

487 protein
[próutiːn]

ⓝ 단백질

Beans are rich in protein.
콩은 ▨▨▨▨ 이 풍부하다.

488 creative
[kriːéitiv]

ⓐ 창의적인, 독창적인 (= originative)

The right brain is more visual and creative.
오른쪽 뇌는 좀 더 시각적이고 ▨▨▨▨ 이다.

✚ create ⓥ 창조하다
  creation ⓝ 창조

489 strict
[strikt]

ⓐ 엄한, 엄격한 (= stern)

Our teacher is very strict during the class.
우리 선생님은 수업 중에 매우 ▨▨▨▨ 다.

↔ generous ⓐ 관대한

490 restore
[ristɔ́ːr]

⑧ 복구하다 (= reestablish), 회복하다

It is difficult to **restore** the confidence that has been lost.
잃어버린 신뢰를 〰〰〰는 것은 어렵다.

➕ restoration ⑲ 회복
↔ abolish ⑧ 폐지하다

491 poverty
[pávərti]

⑲ 빈곤, 가난

She graduated from a university in spite of her **poverty**.
그녀는 〰〰〰에도 불구하고 대학을 졸업했다.

➕ poor ⑱ 가난한
↔ wealth ⑲ 부(富)

발음주의

492 passionate
[pǽʃənət]

⑱ 열렬한, 정열적인 (= enthusiastic)

They received a **passionate** welcome from the local people.
그들은 현지 주민들의 〰〰〰 환영을 받았다.

➕ passion ⑲ 열정
passionately ⑨ 열렬히
↔ unemotional ⑱ 냉정한, 침착한

493 take place

일어나다, 발생하다 (= occur, happen)

Sometimes inventions **take place** by accident.
때때로 발명은 우연히 〰〰〰.

494 anything but

결코 …이 아닌 (= never)

He is **anything but** a scientist.
그는 결코 과학자가 〰〰〰.

495 put off

연기하다 (= postpone)

The game was **put off** due to the rain.
비 때문에 경기가 〰〰〰.

Get More strict의 다양한 뜻

1 ⑱ 엄격한
strict restrictions 엄격한 규정

2 ⑱ 엄밀한, 정밀한
in the strict sense 엄밀한 의미에서

✐ ANSWERS p. 283

A 영어는 우리말로, 우리말은 영어로 쓰시오.

1 restore _____

2 poverty _____

3 anything but _____

4 pool _____

5 salary _____

6 평화로운, 태평한 _____

7 이제는, 더 이상 _____

8 열렬한, 정열적인 _____

9 연기하다, 미루다 _____

10 일어나다, 발생하다 _____

B 빈칸에 알맞은 단어를 [보기]에서 골라 쓰시오. (필요시 형태를 고칠 것)

| 보기 | creative | impress | strict | protein | seldom |

11 I _____ eat breakfast

나는 아침 식사를 좀처럼 하지 않는다.

12 I'm _____ with his kindness.

나는 그의 친절함에 감동받았다.

13 You need more _____ to be healthier.

당신이 더 건강해지려면 더 많은 단백질이 필요하다.

14 The job needs some _____ imagination.

그 일은 약간의 독창적인 상상력을 필요로 한다.

15 Our school has very _____ rules about hairstyles.

우리 학교는 두발에 대한 교칙이 매우 엄격하다.

C A : B = C : D의 관계가 되도록 빈칸에 알맞은 단어를 [보기]에서 골라 쓰시오.

| 보기 | peaceful | creative | restore | salary | passionate |

16 pool : pond = wage : _____

17 poverty : poor = peace : _____

18 strict : mild = unimaginative : _____

19 impress : move = recover : _____

20 seldom : often = unemotional : _____

DAY 34

이 spaceship을 타렴.

우리는 Mars를 향해 갈 거야. 꼭 잡으라고~

앗, dizzy할 정도로 너무 빠르잖아!!

헉… 꿈이었구나.

◀) MP3 파일을 들으면서
단어를 따라 읽어보세요.

---

496 **Mars**
□□ [mɑːrz]

몡 화성

Is there any life on Mars?
██████ 에 생명체가 있습니까?

---

497 **chairperson**
□□ [tʃɛ́ərpə̀ːrsn]

몡 의장, 위원장 (= chairman)

We asked him to be chairperson.
우리는 그에게 ██████ 이 되어 달라고 부탁했다.

---

498 **spaceship**
□□ [spéisʃìp]

몡 우주선

We will travel into space by spaceship someday.
우리는 언젠가 ██████ 을 타고 우주를 여행할 것이다.

➕ space shuttle 우주 왕복선

unmanned spaceship
무인 우주선

---

499 sunshine
[sʌ́nʃàin]

bathe in sunshine
일광욕을 하다

명 햇빛

Plants will not grow well without sunshine.
░░░░░░이 없으면 식물은 잘 자라지 못할 것이다.

➕ sun 명 해, 태양

500 cave
[keiv]

명 동굴 (= cavern)

We explored the cave for a whole month.
우리는 한 달 내내 그 ░░░░░░을 탐험했다.

501 clothes
[klouðz]

명 옷 (= dress, clothing), 의복

I haven't decided yet which clothes to wear.
나는 아직 무슨 ░░░░░░을 입을지 결정하지 못했다.

➕ cloth 명 천, 옷감
  clothing 명 의류

502 treasure
[tréʒər]

treasure island
보물섬

명 보물, 재산 (= riches, wealth)

The South Gate is Korean National Treasure No.1.
남대문은 한국의 ░░░░░░ 제1호이다.

503 dig
[dig]

dig – dug – dug

동 (땅을) 파다

Nick is digging a small hole with a shovel.
Nick은 삽으로 작은 구멍을 ░░░░░░ 있다.

➕ digger 명 땅을 파는 사람

504 scenery
[síːnəri]

scene + ry
장면 + ry[ery]는 집합을 의미함
→ 경치

명 경치 (= landscape); 배경 (= background)

The tourists are enjoying the mountain scenery.
관광객들이 산의 ░░░░░░를 즐기고 있다.

Day 34

505 blend
[blend]

图 섞다, 혼합하다 (= mix, combine)

Blend together the eggs, sugar, and flour.
계란, 설탕, 밀가루를 함께   .

➕ blended 웹 혼합된

506 athlete
[ǽθliːt]

명 운동 선수

He will become a great **athlete** someday.
그는 언젠가 훌륭한   가 될 것이다.

➕ athletic 웹 운동의, 체육의

507 dizzy
[dízi]

형 현기증 나는 (= faint)

You should not exercise if you feel **dizzy**.
만약   느낀다면 너는 운동해서는 안 된다.

508 in public

공공연히, 대중 앞에서

I can't speak well **in public**.
나는   말을 잘 못한다.

↔ in private 은밀히

509 persist in

…을 고집하다 (= stick to)

She **persisted in** refusing to wear her sister's old clothes.
그녀는 언니가 입던 헌옷은 안 입겠다고   .

510 be equal to *n.*

…을 감당할 능력이 있다 (= have ability for)

I don't think you're **equal to** the task.
나는 당신이 그 일을   생각하지 않는다.

Get More   cloth *vs.* clothes *vs.* clothe

1 **cloth** 명 천
a soft **cloth**
부드러운 천

2 **clothes** 명 옷, 의복
a suit of **clothes**
옷 한 벌

3 **clothe** 图 (옷을) 입히다
clothe oneself
옷을 입다

✎ ANSWERS p. 283

A 영어는 우리말로, 우리말은 영어로 쓰시오.

1 athlete _____ 6 보물, 재산 _____
2 persist in _____ 7 현기증 나는 _____
3 spaceship _____ 8 동굴 _____
4 sunshine _____ 9 섞다, 혼합하다 _____
5 in public _____ 10 화성 _____

B 빈칸에 알맞은 단어를 [보기]에서 골라 쓰시오. (필요시 형태를 고칠 것)

| 보기 | chairperson | clothes | scenery | cave | athlete |

11 _____ exercise every day.
운동 선수들은 매일 훈련한다.

12 I like to wear casual _____.
나는 캐주얼한 옷을 입기 좋아한다.

13 This place is famous for its beautiful _____.
이곳은 아름다운 경치로 유명하다.

14 He was elected _____ of the committee.
그는 위원회의 의장으로 선출되었다.

15 The explorers discovered treasures in the _____.
탐험가들은 동굴 속에서 보물을 발견했다.

C 설명하는 단어를 [보기]에서 골라 쓰시오.

| 보기 | treasure | spaceship | blend | dig | clothes |

16 to make a hole in the ground _____
17 to mix or combine together _____
18 things you wear to cover your body and keep you warm _____
19 valuable things such as gold, silver or jewels _____
20 a vehicle for carrying people through space _____

나의 hero, 왜 이제야 appear했나요!!

ㅇ-ㅇ~

아까 너무 sleepy해서 잠깐 나무에 누워 있었어.

그런데 졸다가 나무에서 떨어지고 말았지 뭐야 …

◀ MP3 파일을 들으면서
단어를 따라 읽어보세요.

---

511 **purple**
☐☐ [pə́ːrpl]

명 자줏빛
형 자줏빛의

She wore a dress of dark purple.
그녀는 짙은 ▨▨▨▨▨ 옷을 입었다.

---

512 **sleepy**
☐☐ [slíːpi]

형 졸리는, 졸음이 오는 (= drowsy)

I was sleepy during the class.
나는 수업 시간에 ▨▨▨▨ 다.

➕ sleep 동 잠자다
↔ awake 형 깨어 있는

sleeping pill
수면제

---

513 **hero**
☐☐ [híərou]

명 영웅, (남자) 주인공

After the war he became a national hero.
전쟁 후에 그는 국가적인 ▨▨▨▨ 이 되었다.

➕ heroine 명 여걸, (여자) 주인공

---

514 harmony
[háːrməni]

몡 조화, 일치 (= accord)

They lived in harmony with each other.
그들은 서로 ▨▨▨▨▨롭게 살았다.

➕ harmonious 휑 조화된, 사이가 좋은
　 harmonize 동 조화시키다
↔ conflict 몡 충돌, 갈등

515 appear
[əpíər]

동 나타나다 (= emerge); …인 듯하다 (= seem)

He appeared at the party.
그가 파티에 ▨▨▨▨▨.

➕ appearance 몡 출현, 외모
↔ disappear 동 사라지다

516 laughter
[lǽftər]

몡 웃음, 웃음소리

The audience suddenly burst into laughter at the scene.
청중들이 그 장면을 보고 갑자기 ▨▨▨▨▨을 터뜨렸다.

➕ laugh 동 웃다 몡 웃음

517 portrait
[pɔ́ːrtrit]

몡 초상, 초상화

I asked her to paint my portrait.
나는 그녀에게 내 ▨▨▨▨▨를 그려 달라고 부탁했다.

➕ portray 동 그리다

self portrait
자화상

518 trunk
[trʌŋk]

몡 나무 줄기 (= stem); 여행 가방, 짐칸; 코끼리 코

The trunk of this tree is very thick.
이 나무의 ▨▨▨▨▨는 매우 두껍다.

519 shy
[ʃai]

휑 수줍어하는

She is too shy to speak to strangers.
그녀는 낯선 사람에게 말을 걸기에는 너무 ▨▨▨▨▨.

➕ shyness 몡 수줍음
↔ confident 휑 자신 있는

520 funeral
[fjú:nərəl]

圏 장례식 (= burial)

He attended his father's funeral.
그는 그의 아버지의 ▒▒▒▒▒ 에 참석했다.

521 litter
[lítər]

圏 쓰레기, 잡동사니 (= rubbish, trash)
图 쓰레기를 버리다

litter bin
쓰레기통

The girls are picking up the litter.
여자 아이들이 ▒▒▒▒▒ 를 줍고 있다.

522 nutritious
[nju:tríʃəs]

nutri[nourish] + tious[···한]
→ 영양분을 주는

圏 영양분이 있는, 영양의 (= nutrient)

It is important to choose nutritious foods.
▒▒▒▒▒ 음식을 선택하는 것이 중요하다.

✚ nutrition 圏 영양(분)

523 make sense

이치에 맞다

His story doesn't make sense.
그의 이야기는 ▒▒▒▒▒ 않는다.

524 stick to *n.*

···을 고집하다 (= persist in)

She sticks to vegetarian diet.
그녀는 채식을 ▒▒▒▒▒ .

525 come by

···에 들르다 (= stop by, drop by)

Can I come by your house this evening?
오늘 저녁에 너희 집에 ▒▒▒▒▒ 될까?

Get More   trunk의 다양한 뜻

1 圏 나무 줄기
the **trunk** of a maple
단풍나무의 줄기

2 圏 여행용 큰 가방
open the **trunk**
트렁크를 열다

3 圏 코끼리 코
the **trunk** of an elephant
코끼리의 코

✎ ANSWERS p. 284

A 영어는 우리말로, 우리말은 영어로 쓰시오.

1	harmony	_____	6	웃음, 웃음소리	_____
2	stick to	_____	7	…에 들르다	_____
3	trunk	_____	8	쓰레기, 쓰레기를 버리다	_____
4	purple	_____	9	나타나다, …인 듯하다	_____
5	funeral	_____	10	이치에 맞다	_____

B 빈칸에 알맞은 단어를 [보기]에서 골라 쓰시오. (필요시 형태를 고칠 것)

보기	portrait	shy	hero	appear	sleepy

11 He was the greatest _____ of his day.
그는 당대의 가장 위대한 영웅이었다.

12 I always feel too _____ right after lunch.
나는 항상 점심을 먹고 난 직후에는 너무 졸리다.

13 A man suddenly _____ from behind a tree.
한 남자가 갑자기 나무 뒤에서 나타났다.

14 I am too _____ to speak in front of people.
나는 사람들 앞에서 말하기에는 너무 수줍음을 탄다.

15 He hung a(n) _____ of his grandmother in the living room.
그는 거실에 자기 할머니의 초상화를 걸었다.

C A : B = C : D의 관계가 되도록 빈칸에 알맞은 단어를 [보기]에서 골라 쓰시오.

보기	funeral	shy	appear	portrait	harmony

16 litter : trash = burial : _____

17 trunk : stem = accord : _____

18 laugh : laughter = portray : _____

19 sleepy : awake = confident : _____

20 harmony : conflict = disappear : _____

Day **35**

✎ ANSWERS p. 284

다음 우리말에 맞게 빈칸에 주어진 철자로 시작하는 단어를 쓰시오.

DAY 31

1	모직 치마	a w_____ skirt
2	부끄러워서	in s_____
3	인구 증가율	the population growth r_____
4	사업에서 은퇴하다	r_____ from business
5	방을 청소하다	s_____ a room
6	비폭력 저항	r_____ without violence

DAY 32

7	석유 난로	an oil s_____
8	그늘에 눕다	lie in the s_____
9	도시 개발	u_____ development
10	현명한 남자	a man of w_____
11	충분한 증거	sufficient p_____
12	구체적인 예시들	s_____ examples

DAY 33

13	엄명	s_____ orders
14	식물성 단백질	vegetable p_____
15	열정적인 성격	a p_____ nature
16	평화로운 사회	a p_____ society
17	창의적인 작가	a c_____ author

DAY 34

18	국보	a national t_____
19	전원 풍경	pastoral s_____
20	화성에서 온 외계인들	aliens from M_____
21	천부적인 운동 선수	a natural a_____
22	옷걸이	a c_____ rack
23	깊은 동굴	a deep c_____
24	우주선의 착륙	the landing of a s_____

DAY 35

25	용감한 영웅	a courageous h_____
26	완벽한 조화	perfect h_____
27	큰 웃음소리	a loud l_____
28	초상화가	a p_____ painter
29	장례식에 참석하다	attend a f_____
30	영양가 있는 식사	n_____ meals

Zoom In

이어동사 Ⅱ on

put on

on air

9pm news

1. 접촉

put on
입다, 신다

예 I **put on** a raincoat when it rains.
비가 오면 나는 비옷을 입는다.

turn on
켜다

예 I **turned on** the desk lamp to study.
나는 공부하려고 스탠드를 켰다.

try on
(시험 삼아) 입어 보다

예 She **tried on** several dresses.
그녀는 여러 벌의 옷을 입어 보았다.

get on
타다, 승차하다

예 We **got on** a train for Busan.
우리는 부산행 열차에 승차했다.

2. 지속, 진행

on (the) air
방송 중인

예 The program is now **on the air**.
그 프로그램은 현재 방송 중이다.

go[keep, carry] on
계속해서 …하다

예 I **go on** working out to stay in shape.
나는 몸매 유지를 위해 계속해서 운동을 한다.

stay on
계속 머무르다

예 How long are you going to **stay on** Korea?
한국에 얼마 동안 계실 예정입니까?

 MP3 파일을 들으면서
단어를 따라 읽어보세요.

---

526 magic
□□ [mǽdʒik]

명 마법, 마술
형 마법의

Some people still believe in magic.
어떤 사람들은 아직도 ▨▨▨▨을 믿는다.

➕ magical 형 마법의
　 magician 명 마술사

magician
마술사

---

527 twins
□□ [twinz]

명 쌍둥이

The twins have very different characters.
그 ▨▨▨▨는 성격이 매우 다르다.

➕ triplets 명 세 쌍둥이

---

528 fairy
□□ [fέəri]

명 요정
형 요정의, 상상의

**The fairy changed a pumpkin into
a carriage.**
그 ▨▨▨은 호박을 마차로 변하게 했다.

➕ fairylike 형 요정 같은
　 fairy tale 동화

---

162 Part Ⅱ 필수 어휘로 내신 다지기

529 Arctic

[á:rktik]

Arctic Sea
북극해

명 북극
형 북극의

He was the first explorer on the Arctic.
그는 최초의 ▨▨▨ 탐험가였다.

↔ Antarctic 형 남극의

---

530 bow

동[bau]
명[bou]

동 머리를 숙이다, 절하다
명 활

Koreans bow to each other when they meet for the first time.
한국인은 처음 만났을 때 서로 ▨▨▨ (인사한다).

발음주의

531 kneel

[ni:l]

kneel − knelt − knelt

동 무릎을 꿇다

A man is kneeling in the garden.
한 남자가 정원에서 ▨▨▨고 있다.

➕ knee 명 무릎

---

532 handshake

[hǽndʃèik]

firm handshake
굳은 악수

명 악수

They greeted each other with a handshake.
그들은 ▨▨▨ 하면서 서로 인사를 했다.

---

533 rewrite

[ri:ráit]

동 고쳐 쓰다

She had to rewrite the article.
그녀는 그 기사를 ▨▨▨ 만 했다.

---

534 nowhere

[nóuhwɛ̀ər]

부 아무 데도 (… 없다)

We went nowhere last weekend.
우리는 지난 주말에 ▨▨▨ 가지 않았다.

535 **nervous**
[nə́ːrvəs]

형 긴장하는, 걱정하는 (= worried, anxious)

I was very **nervous** before the exams.
나는 시험 보기 전에 몹시 ▨▨▨▨▨ 다.

➕ nervously 부 신경질적으로, 초조하게
↔ calm 형 침착한

발음주의

536 **recipe**
[résəpìː]

명 요리법, 조리법

Give me the **recipe** for this vegetable dish.
이 야채 요리의 ▨▨▨▨▨ 을 알려 주세요.

➕ recipe book 요리책

537 **animate**
[ǽnəmèit]

anim[life] + ate
생명 있게 하다 → 생기를 넣다

동 생기를 불어 넣다 (= enliven)

Laughter **animated** his face for a moment.
웃음은 그의 얼굴에 잠시 동안 ▨▨▨▨▨.

➕ animated 형 생기 있는, 살아있는

538 **thanks to** *n.*

… 덕택으로, … 때문에
(= because of, owing to, on account of)

Thanks to yesterday's rain, the morning air was fresher than usual.
어제 내린 비 ▨▨▨▨▨ 아침 공기가 평소보다 더 신선했다.

539 **far from -ing**

결코 …이 아닌 (= never)

Your work is **far from being** satisfactory.
너의 일은 ▨▨▨▨▨ 만족스럽지 않다.

540 **devote oneself to** *n.*

…에 전념하다 (= apply oneself to)

He is **devoting himself to** his studies.
그는 공부에 ▨▨▨▨▨ 있다.

Get More bow의 다양한 뜻

1 [bau] 명 절, 인사
make a **bow**
절하다

2 [bou] 명 활
a **bow** and arrow
활과 화살

3 [bou] 명 나비 매듭
a **bow** tie
나비 넥타이

✎ ANSWERS p. 284

A 영어는 우리말로, 우리말은 영어로 쓰시오.

1	far from -ing	_____	6	북극, 북극의	_____
2	nowhere	_____	7	쌍둥이	_____
3	fairy	_____	8	긴장하는, 걱정하는	_____
4	thanks to	_____	9	생기를 불어 넣다	_____
5	handshake	_____	10	…에 전념하다	_____

B 빈칸에 알맞은 단어를 [보기]에서 골라 쓰시오. (필요시 형태를 고칠 것)

보기	bow	magic	rewrite	kneel	recipe

11 This is the _____ for tomato soup.
이것이 토마토 수프 요리법이다.

12 He _____ down and patted the dog.
그는 무릎을 꿇고 그 개를 쓰다듬었다.

13 Will you _____ this e-mail for me?
이 이메일을 고쳐 써 주시겠습니까?

14 The student _____ to the principal very politely.
그 학생은 교장 선생님께 매우 정중하게 인사했다.

15 A belief in _____ is still wide-spread among some tribes.
아직도 어떤 부족들 사이에는 마법에 대한 믿음이 널리 퍼져 있다.

C 설명하는 단어를 [보기]에서 골라 쓰시오.

보기	fairy	animate	nervous	nowhere	Arctic

16 the area around the North Pole _____

17 not in any place or to any place _____

18 to give life or energy to something _____

19 a small imaginary creature with magic powers _____

20 worried or frightened about something, and unable _____
to relax

우리 엄마는 평범한 housewife예요.

저를 frustrate했던 일들에 관해 엄마와 대화를 나누곤 하죠.

우리 엄마는 저의 가장 친한 친구이지요.

그럴때마다!!

엄마 사랑해요~ 용돈 안상 줌~

To tell the truth, 저는 엄마를 진심으로 사랑해요!

■》 MP3 파일을 들으면서
단어를 따라 읽어보세요.

---

541 housewife
[háuswàif]

☐☐

명 주부 (= homemaker)

I'm a **housewife** and mother of a child.
나는 〰〰〰〰〰 이자 한 아이의 엄마이다.

➕ housewifery 명 가사

---

542 worldwide
[wə́:rldwàid]

☐☐

형 세계적인 (= international, global)

He won **worldwide** fame as a pianist.
그는 피아노 연주자로서 〰〰〰〰 명성을 얻었다.

---

543 dot
[dɑt]

☐☐

dot pattern
점무늬

명 점 (= spot)

I made a **dot** on the paper with a pencil.
나는 종이 위에 연필로 〰〰〰〰 하나를 찍었다.

➕ dotted 형 점이 있는, 점을 찍은

---

544 chat
[tʃæt]

chat – chatted – chatted

통 잡담하다; (컴퓨터) 채팅하다

The woman is chatting with her boss.
그 여자는 자기 상사와 〇〇〇〇〇 있다.

➕ chatter 명 수다 통 수다를 떨다

---

545 wheat
[hwiːt]

wheat field
밀밭

명 밀

The farmer planted wheat in the field.
농부는 들에 〇〇〇〇〇을 심었다.

➕ wheat flour 밀가루

---

546 neighborhood
[néibərhùd]

명 이웃, 동네
형 동네의

They grew up in the same neighborhood.
그들은 같은 〇〇〇〇〇에서 자랐다.

➕ neighbor 명 이웃 사람

---

547 cafeteria
[kæ̀fətíəriə]

명 (셀프 서비스를 하는) 구내식당

The students are eating in the cafeteria.
학생들이 〇〇〇〇〇에서 식사를 하고 있다.

Day 37

발음주의

548 receipt
[risíːt]

명 영수증

I paid the bill and he gave me a receipt.
나는 계산을 치렀고 그는 내게 〇〇〇〇〇을 주었다.

➕ receive 통 받다

---

549 thoughtful
[θɔ́ːtfəl]

형 생각이 깊은, 사려 깊은 (= considerate)

My husband is a very thoughtful man.
내 남편은 매우 〇〇〇〇〇 사람이다.

➕ thought 명 생각, 사상
↔ thoughtless 형 생각 없는

550 sew
□□
[sou]

sew – sewed – sewn

통 바느질하다, 꿰매다 (= stitch)

My mother taught me to sew.
엄마는 내게 [   ] 것을 가르쳐 주셨다.

➕ sewing 명 바느질
sewing machine 재봉틀

---

551 frustrate
□□
[frʌ́streit]

통 좌절시키다, 실망시키다 (= disappoint)

The hard question on the test frustrated me.
그 시험에 나온 어려운 문제가 나를 [   ].

➕ frustrated 형 실망한
frustration 명 좌절

---

552 architect
□□
[ɑ́ːrkətèkt]

archi[first] + tect[cover]
우선 덮다 → 설계하다

명 건축가
통 설계하다

Who is the architect of this building?
이 건물의 [   ] 는 누구입니까?

➕ architecture 명 건축(물)

---

553 to tell the truth
□□

사실대로 말하면
(= to be frank with you, frankly speaking)

To tell the truth, the dress doesn't fit you.
[   ], 그 드레스는 너에게 안 어울린다.

---

554 remind A of B
□□

A에게서 B를 생각나게 하다

That song reminds me of an old friend.
저 노래는 내게 옛 친구를 [   ].

---

555 regard A as B
□□

A를 B로 간주하다 (= think of A as B)

I regard him as my best friend.
나는 그를 가장 좋은 친구로 [   ].

Get More   receipt *vs.* recipe

1 receipt 명 영수증
No **receipt**, no refund.
영수증 없이는 환불 안 됨.

2 recipe 명 요리법
a **recipe** for chicken soup
닭고기 수프 요리법

✎ ANSWERS p. 284

A 영어는 우리말로, 우리말은 영어로 쓰시오.

1	architect _____	6	잡담하다, 채팅하다 _____
2	receipt _____	7	생각이 깊은, 사려 깊은 _____
3	remind A of B _____	8	구내식당 _____
4	frustrate _____	9	A를 B로 간주하다 _____
5	to tell the truth _____	10	점 _____

B 빈칸에 알맞은 단어를 [보기]에서 골라 쓰시오. (필요시 형태를 고칠 것)

보기 worldwide   neighborhood   wheat   housewife   sew

11 My mom is good at _____.
우리 엄마는 바느질을 잘 하신다.

12 My wife is an economical _____.
내 아내는 알뜰한 주부이다.

13 Our _____ has many maple trees.
우리 동네에는 단풍나무가 많다.

14 Corn, _____, barley and rice are cereals.
옥수수, 밀, 보리, 그리고 쌀은 곡물이다.

15 The detective story has attracted _____ attention.
그 탐정 소설은 전 세계적인 관심을 끌었다.

C 빈칸에 알맞은 단어를 괄호 안에서 골라 쓰시오.

16 (thoughtful / thought)
ⓐ a _____ gift
ⓑ a stupid _____

17 (frustrate / frustrated)
ⓐ I feel _____.
ⓑ _____ the efforts

18 (receipt / receive)
ⓐ get a _____
ⓑ _____ a letter

19 (neighborhood / neighbor)
ⓐ a next door _____
ⓑ live in a peaceful _____

20 (architect / architecture)
ⓐ a prize-winning _____
ⓑ in the Gothic style _____

Day **37**

DAY 38

한 부랑자가 downtown에 살고 있었습니다.

커다란 trash통이 바로 그의 집이었습니다.

사람들은 그를 보면 ghost를 본 것처럼 도망 다녔어요.

이래봬도 유명인사야~

🔊 MP3 파일을 들으면서 단어를 따라 읽어보세요.

---

556 downtown
[dáuntàun]

몡 도심
혱 도심지의
뷔 도심지에서, 시내로

How's your new apartment **downtown**?
░░░░ 에 있는 당신의 새 아파트 어때요?

↔ uptown 몡 주택지 혱 시 외곽의 뷔 시 외곽으로

---

557 blank
[blæŋk]

blank check
백지 수표

몡 빈칸, 공백
혱 빈, 공백의 (= empty)

Write your name in the **blank**.
░░░░ 에 당신의 이름을 쓰시오.

---

558 ghost
[goust]

몡 유령 (= spirit)

She screamed when she saw the **ghost**.
░░░░ 을 보았을 때 그녀는 비명을 질렀다.

✚ ghostly 혱 유령의, 유령 같은

---

559 comedy
[kámədi]

圀 희극, 코미디

He earns money writing comedy scripts.
그는 █████ 대본을 써서 돈을 번다.

➕ comic 웹 희극의, 우스꽝스러운
↔ tragedy 웹 비극

560 sign
[sain]

圀 표지, 기호
동 서명하다

no smoking sign
금연 표지판

The man is replacing the traffic sign.
남자가 교통 █████ 을 교체하고 있다.

➕ signature 웹 서명

561 trash
[træʃ]

圀 쓰레기 (= litter, rubbish)

Don't throw trash anywhere.
아무 데나 █████ 를 버리지 마라.

562 yell
[jel]

동 고함치다 (= scream, shout)

The teacher yelled at the students to be quiet.
선생님이 학생들에게 조용히 하라고 █████.

↔ whisper 동 속삭이다

563 scan
[skæn]

scan – scanned – scanned

동 훑어보다 (= look over); 유심히 쳐다보다

The police scanned the whole area, but found nothing.
경찰은 전 지역을 █████ 만, 아무것도 찾을 수 없었다.

564 spin
[spin]

spin – spun – spun

동 돌리다 (= revolve, turn)

The boys are spinning their tops.
남자 아이들이 팽이를 █████ 있다.

spinning wheel
물레

565 clap

[klæp]

clap – clapped – clapped

⑧ (손뼉을) 치다 (= applaud)

Clap your hands two times after you stand up.

일어서서 두 번 ▨▨▨▨▨.

566 suicide

[súːəsàid]

sui[self] + cide[to kill]
자신을 죽임 → 자살

⑲ 자살

It's illegal to help a suicide.

▨▨▨▨▨을 돕는 것은 불법이다.

발음주의

567 heritage

[héritidʒ]

⑲ 유산 (= inheritance)

Korea has a rich cultural heritage.

한국은 풍부한 문화 ▨▨▨▨▨을 가지고 있다.

568 help oneself to

맘껏 먹다

Help yourself to whatever you like.

드시고 싶은 것을 ▨▨▨▨▨.

569 know A from B

A와 B를 구별하다 (= distinguish A from B)

He can scarcely know fact from fiction.

그는 현실과 허구를 거의 ▨▨▨▨▨ 못한다.

570 insist on

…을 (강력하게) 주장하다

I insisted on my innocence.

나는 나의 결백을 ▨▨▨▨▨.

Get More sign의 다양한 뜻

1 ⑲ 기호
the plus **sign**
플러스 기호

2 ⑲ 간판
a store **sign**
상점 간판

3 ⑲ 기미, 징조
a **sign** of rain
비 올 징조

DAY 38 Wrap-up Test

🖉 ANSWERS p. 285

Ⓐ 영어는 우리말로, 우리말은 영어로 쓰시오.

1	spin	_____	6	빈칸, 공백	_____
2	insist on	_____	7	자살	_____
3	help oneself to	_____	8	A와 B를 구별하다	_____
4	downtown	_____	9	쓰레기	_____
5	scan	_____	10	표지, 기호, 서명하다	_____

Ⓑ 빈칸에 알맞은 단어를 [보기]에서 골라 쓰시오. (필요시 형태를 고칠 것)

보기	comedy	clap	heritage	yell	ghost

11 I don't believe in _____.
나는 유령들의 존재를 믿지 않는다.

12 I prefer _____ to tragedy.
나는 비극보다 희극을 더 좋아한다.

13 Don't _____ at the children like that.
아이들에게 그렇게 소리 지르지 마라.

14 We should preserve our national _____.
우리는 국가 유산을 보존해야 한다.

15 The audience _____ their hands when the concert was over.
연주회가 끝나자 청중들은 박수를 쳤다.

Ⓒ 설명하는 단어를 [보기]에서 골라 쓰시오.

보기	suicide	scan	ghost	spin	blank

16 the spirit of a dead person _____

17 an empty space on a piece of paper _____

18 to turn around and around very quickly _____

19 the act of killing yourself _____

20 to examine something carefully _____

Day 38

DAY 39

한 소년이 farmhouse에 살고 있었습니다.

가난했기 때문에, 그의 옷차림은 항상 out of fashion이었죠.

🔊 MP3 파일을 들으면서 단어를 따라 읽어보세요.

훌륭한 사람이 되고 말 거야.

그래도 그는 큰 꿈이 있었어요.

이 소년이 바로 미국의 제33대 대통령인 트루먼(Truman)입니다.

---

571 guy
[gai]
명 녀석, (구어) 사람 (= man, person, fellow)

He seems to be a lucky guy.
그는 정말 운이 좋은 ▨▨▨▨ 인 것 같다.

---

572 curl
[kəːrl]

curly hair
곱슬머리

동 곱슬곱슬하게 하다
명 곱슬머리

My hair curls naturally.
내 머리카락은 원래 ▨▨▨▨▨.

➕ curly 형 곱슬곱슬한

---

573 helpful
[hélpfəl]
형 도움이 되는, 유용한 (= useful)

This dictionary was very helpful to me.
이 사전은 내게 매우 ▨▨▨▨ 다.

➕ help 동 돕다

---

574 faithful
[féiθfəl]

형 충실한 (= loyal)

The dog is a faithful animal.
개는 ▨▨▨▨▨ 동물이다.

+ faith 명 신뢰, 신념
↔ unfaithful 형 불충실한

575 farmhouse
[fá:rmhàus]

명 농가

There are several farmhouses on the hill.
언덕 위에 몇 채의 ▨▨▨▨▨가 있다.

576 skyscraper
[skáiskrèipər]

명 초고층 건물, 마천루

New York is famous for its skyscrapers.
뉴욕은 ▨▨▨▨▨로 유명하다.

강세주의

577 proverb
[právə:rb]

pro[forth] + verb[word]
대표적인 말 → 속담

명 속담, 격언 (= saying)

Proverbs give us lessons.
▨▨▨▨▨은 우리에게 교훈을 준다.

+ proverbial 형 속담의

578 advertisement
[ædvərtáizmənt]

TV advertisement
텔레비전 광고

명 광고 (= commercial, ad)

There are too many advertisements on TV.
텔레비전에는 ▨▨▨▨▨가 너무 많다.

+ advertise 동 광고하다

579 conquer
[káŋkər]

con[with] + quer[ask]
모두 요구하다 → 정복하다

동 정복하다 (= defeat)

He wants to conquer the world.
그는 세계를 ▨▨▨▨▨ 싶어한다.

+ conquest 명 정복

580 landscape
[lǽndskèip]

명 풍경, 경치 (= scenery)

I prefer still-lifes to **landscape** paintings.
나는 ▨▨▨▨ 그림보다 정물화가 더 좋다.

➕ landscaper 명 정원사, 조경사

rural landscape
전원 풍경

---

581 upstairs
[ʌ́pstéərz]

부 위층으로, 위층에

Grandma is sleeping **upstairs**.
할머니가 ▨▨▨▨ 주무시고 계신다.

↔ downstairs 부 아래층으로, 아래층에

---

582 swear
[swɛ́ər]

swear – swore – sworn

동 맹세하다 (= vow)

I **swear** it's the truth.
그것은 사실임을 ▨▨▨▨.

---

583 a variety of

다양한, 갖가지의 (= various, a diversity of)

The college library has **a variety of** books.
그 대학 도서관은 ▨▨▨▨ 책들을 소장하고 있다.

---

584 at the same time

동시에 (= at once)

We left the building **at the same time**.
우리는 ▨▨▨▨ 그 건물을 떠났다.

---

585 out of fashion

유행에 뒤떨어진 (= old-fashioned, out of date)

This clothing is already **out of fashion**.
이 옷은 벌써 ▨▨▨▨다.

Get More guy의 다양한 뜻

1 명 (구어체) 사내, 놈
a nice **guy** 좋은 놈

2 명 pl. (구어체) 사람들
You **guys**! 너희들!

✎ ANSWERS p. 285

A 영어는 우리말로, 우리말은 영어로 쓰시오.

1 proverb   _____   6 농가   _____
2 conquer   _____   7 곱슬곱슬하게 하다   _____
3 upstairs   _____   8 동시에   _____
4 skyscraper   _____   9 맹세하다   _____
5 a variety of   _____   10 유행에 뒤떨어진   _____

B 빈칸에 알맞은 단어를 [보기]에서 골라 쓰시오. (필요시 형태를 고칠 것)

| 보기   guy   helpful   faithful   advertisement   landscape |

11 The magazine has few _____.
그 잡지에는 광고들이 별로 없다.

12 He is always _____ to his duties.
그는 항상 자신의 임무에 충실하다.

13 She is taking pictures of street _____.
그녀는 거리 풍경들의 사진을 찍고 있다.

14 Rain is very _____ in relieving drought.
비는 가뭄 해갈에 큰 도움이 된다.

15 Who's that _____ standing over there in the corner?
저쪽 구석에 서 있는 저 남자 누구야?

C 관계있는 것끼리 선으로 연결하시오.

16 conquer   •   • ⓐ to promise that you will do something
17 upstairs   •   • ⓑ a very tall modern city building
18 skyscraper   •   • ⓒ to get control of a country by fighting
19 swear   •   • ⓓ towards or on an upper floor in a building
20 proverb   •   • ⓔ a short, well-known statement that gives advice

DAY 40

◀ MP3 파일을 들으면서
단어를 따라 읽어보세요.

---

586 dive
[daiv]

동 다이빙하다, (물 속으로) 뛰어들다
(= plunge, go underwater)

My brother showed me how to dive.
우리 형이 내게   는 방법을 보여 주었다.

---

587 propose
[prəpóuz]

pro[forward] + pose[place]
앞쪽으로 두다 → 제안하다

동 제의[제안]하다 (= suggest); 청혼하다

I proposed to take a break for a while.
나는 잠시 휴식을 취하자고   .

➕ proposal 명 제안; 청혼

---

588 panic
[pǽnik]

panic button
비상 버튼

명 당황, 공포 (= fear)

They ran out in a panic.
그들은   에 빠져 달려 나갔다.

---

589 original
[ərídʒənl]

혱 최초의, 원래의 (= first, initial); 독창적인

What is the original meaning of that word?
그 단어의 ▒▒▒▒ 뜻은 무엇입니까?

➕ originate 동 시작하다, 생기다
originally 부 원래

---

590 sunrise
[sʌ́nràiz]

명 해돋이, 일출 (= sunup)

The rooster crows every morning at sunrise.
수탉은 매일 아침 ▒▒▒▒ 때 운다.

↔ sunset 명 일몰

---

591 jealous
[dʒéləs]

혱 질투심 많은, 시샘하는 (= envious)

His wife is a jealous person.
그의 아내는 ▒▒▒▒ 사람이다.

➕ jealousy 명 질투심

---

592 confusing
[kənfjúːziŋ]

혱 혼란시키는, 당황케 하는

The sudden question was confusing for me.
갑작스런 질문이 나를 ▒▒▒▒ 했다.

➕ confuse 동 혼란스럽게 하다

Day
40

---

593 humble
[hʌ́mbl]

혱 겸손한 (= modest); (신분이) 비천한, 초라한

You should be humble before older people.
어른들 앞에서는 ▒▒▒▒ 야 한다.

↔ proud 혱 교만한

---

594 straw
[strɔː]

straw shoes
짚신

명 짚 (= hay); (음료용) 빨대

He was wearing a straw hat.
그는 ▒▒▒▒ 모자를 쓰고 있었다.

595 □□	**nod** [nɑd] nod – nodded – nodded	통 끄덕이다 She kept nodding at everything that I said. 그녀는 내가 한 모든 말에 계속해서 [_____].
596 □□	**meditation** [mèdətéiʃən]	명 명상, 심사숙고 (= contemplation) A monk lives a life of meditation. 수도사는 [_____] 의 삶을 산다. ➕ meditate 통 꾀하다, 명상하다 　 meditative 형 명상적인
발음주의 597 □□	**quit** [kwit] quit – quit – quit	통 그만두다, 중지하다 (= stop, give up) He was 16 when he quit school. 학교를 [_____] 때 그는 16세 였다. ↔ continue 통 계속하다
598 □□	**in a row**	한 줄로, 연속적으로 (= consecutively) Most of the people are standing in a row. 대부분의 사람들이 [_____] 서 있다.
599 □□	**make up one's mind**	결심하다 (= decide, determine) She made up her mind to marry him. 그녀는 그와 결혼하기로 [_____].
600 □□	**be bound to v.**	틀림없이 …하다, …하지 않을 수 없다 (= be forced[compelled] to, cannot help -ing) Our team is bound to win. 우리 팀이 [_____] 이길 것이다.

Get More　**original의 다양한 뜻**

1 형 최초의, 원래의
We'll stick to the **original** plan.
우리는 원래 계획을 고수할 것이다.

2 형 독창적인
His designs are highly **original**.
그의 디자인들은 대단히 독창적이다.

✎ ANSWERS p. 285

A 영어는 우리말로, 우리말은 영어로 쓰시오.

1	in a row	_____	6	끄덕이다	_____
2	confusing	_____	7	그만두다, 중지하다	_____
3	be bound to	_____	8	짚, 빨대	_____
4	dive	_____	9	결심하다	_____
5	panic	_____	10	질투심이 많은, 시샘하는	_____

B 빈칸에 알맞은 단어를 [보기]에서 골라 쓰시오. (필요시 형태를 고칠 것)

보기	meditation	humble	sunrise	original	propose

11 He is _____ toward everybody.
그는 누구에게나 겸손하다.

12 He is deeply interested in _____ and yoga.
그는 명상과 요가에 깊은 관심을 가지고 있다.

13 Her _____ plan was to stay for a month.
그녀의 본래 계획은 한 달 동안 머무르는 것이었다.

14 Our family went to Jeongdongjin to see the _____.
우리 가족은 일출을 보러 정동진에 갔다.

15 I _____ that my club members should help the poor.
나는 우리 동아리 회원들에게 가난한 사람들을 돕자고 제안했다.

C 설명하는 단어를 [보기]에서 골라 쓰시오.

보기	propose	panic	dive	sunrise	confusing

16 to jump into water _____

17 a sudden feeling of great fear or anxiety _____

18 unclear and difficult to understand _____

19 the time when the sun first appears in the morning _____

20 to suggest a plan, an idea, etc. for people to think about and decide on _____

Day **40**

✎ ANSWERS p. 285

다음 우리말에 맞게 빈칸에 주어진 철자로 시작하는 단어를 쓰시오.

DAY 36

1 쌍둥이 자매   t_____ sisters
2 대본을 다시 쓰다   r_____ the script
3 마술 기법   a m_____ trick
4 동화   a f_____ tale
5 북극 탐험대   an A_____ expedition
6 케이크 요리법   a r_____ for a cake

DAY 37

7 지역 경비대   a n_____ watch
8 유명한 건축가   a famous a_____
9 구입 영수증   a purchase r_____
10 현모양처   a good h_____
11 단추를 달다   s_____ a button
12 사려 깊은 선생님   a t_____ teacher

DAY 38

13 유령 이야기   a g_____ story
14 자살하다   commit s_____
15 휴지통   a t_____ can
16 음악 유산   a musical h_____
17 도로 표지   a road s_____
18 박수를 치다   c_____ one's hands

DAY 39

19 설경   a snowy l_____
20 광고란   an a_____ column
21 적을 정복하다   c_____ an enemy
22 위층으로 올라가다   go u_____
23 충직한 하인   a f_____ servant
24 신에게 걸고 맹세하다   s_____ by God

DAY 40

25 원래 그림   an o_____ picture
26 밀짚모자   a s_____ hat
27 일출에서 일몰까지   from s_____ to sunset
28 질투심 많은 남편   a j_____ husband
29 겸손한 태도   a h_____ attitude
30 일을 그만두다   q_____ the job

Zoom In

이어동사 Ⅲ **in/out**

in

break in

꿈틀 중학교 소풍

out

find out

1. in 안에, 안으로, 내부에

break in
침입하다

예 A thief had **broken in** while she was away.
그녀가 집을 비운 사이에 도둑이 들었다.

hand in
제출하다

예 I have to **hand in** my homework by tomorrow.
나는 내일까지 숙제를 제출해야 한다.

cut in
끼어들다, 간섭하다

예 It is rude to **cut in** while others are talking.
남이 이야기하는 중에 끼어드는 것은 무례한 일이다.

2. out 밖으로, 밖에서

break out
일어나다, 발생하다

예 The Korean War **broke out** in 1950.
한국 전쟁은 1950년에 일어났다.

carry out
실행하다, 수행하다

예 We finally **carried out** the plan.
우리는 마침내 그 계획을 실행했다.

find out
찾아내다, 알아내다

예 We never **found out** who set off the alarm.
우리는 누가 경보기를 울렸는지 알아내지 못했다.

go out
밖으로 나가다, (불이) 꺼지다

예 It's too hot to **go out**.
밖으로 나가기엔 날씨가 너무 덥다.

Camel은 사막에 살고 있어요.

Camel의 혹에는 많은 양의 물이 들어있어요.

혹은 사막에서 살아가는 데 큰 advantage가 됩니다.

Camel은 물이 없어도 3일 정도는 거뜬히 견딜 수 있다고 합니다.

 MP3 파일을 들으면서 단어를 따라 읽어보세요.

---

601 butterfly
[bʌ́tərflài]

명 나비

A butterfly sat on a flower.
▨▨▨▨▨가 꽃에 앉았다.

강세주의

602 advantage
[ædvǽntidʒ]

advant[before]+age[related to]
앞서 관련된 → 유리한

명 이점 (= benefit), 이익

This machine has many advantages.
이 기계는 많은 ▨▨▨▨▨을 가지고 있다.

↔ disadvantage 명 불리, 불이익

---

603 instrument
[ínstrəmənt]

musical instrument
악기

명 도구 (= tool, implement); 악기

Wind is measured using a variety of instruments.
바람은 다양한 ▨▨▨▨▨를 이용하여 측정된다.

✚ instrumental 형 수단이 되는, 유용한

---

604 backbone
[bǽkbòun]

몡 등뼈, 척추 (= spine); 중추

All mammals have backbones.
모든 포유동물은 ▓▓▓▓를 가지고 있다.

605 rob
[rɑb]

rob – robbed – robbed

동 빼앗다, 훔치다 (= steal)

He robbed a bank.
그는 은행을 ▓▓▓▓.

➕ robbery 몡 도둑질
robber 몡 강도
rob A of B A에게서 B를 빼앗다

606 grocery
[gróusəri]

몡 식품점 (= grocery store); (pl.) 식료품

They go to the grocery every Saturday.
그들은 토요일마다 ▓▓▓▓에 간다.

607 camel
[kǽməl]

몡 낙타

Camels live in the desert.
▓▓▓▓는 사막에서 산다.

608 hometown
[hóumtàun]

몡 고향

You'll miss your hometown.
너는 ▓▓▓▓을 그리워할 것이다.

➕ home 몡 집, 가정

609 cage
[keidʒ]

몡 새장, 우리

There's a bird in a cage.
▓▓▓▓에 새 한마리가 있다.

birdcage
새장

610 endure
[indʒúər]

통 참다, 견디다 (= bear, stand)

I can't endure this situation anymore.
나는 더 이상 이 상황을 |||||||||| 수 없다.

➕ endurance 명 인내, 참을성

611 being
[bíːiŋ]

명 존재, 생물 (= existence)

We are all human beings.
우리는 모두 |||||||||| 이다.

강세주의

612 satisfactory
[sæ̀tisfǽktəri]

형 만족스러운

The company achieved satisfactory results.
그 회사는 |||||||||| 결과를 얻었다.

➕ satisfy 동 만족시키다
↔ unsatisfactory 형 만족스럽지 못한

613 take a nap

낮잠을 자다 (= nap, have a nap)

I need to take a nap after lunch.
나는 점심 식사 후에 |||||||||| 한다.

614 according to n.

…에 따라, …에 의하면

According to the weather forecast, it'll be sunny tomorrow.
일기예보에 |||||||||| 내일은 날씨가 맑을 것이다.

615 lay down

내려놓다; 버리다

They agreed to lay down their weapons.
그들은 무기를 |||||||||| 데 동의했다.

Get More instrument의 다양한 뜻

1 명 기구, 도구
medical instruments
의료 기기

2 명 악기
musical instruments
악기

✎ ANSWERS p. 286

A 영어는 우리말로, 우리말은 영어로 쓰시오.

1 lay down _____ 6 도구, 악기 _____
2 camel _____ 7 존재, 생물 _____
3 hometown _____ 8 새장, 우리 _____
4 according to _____ 9 나비 _____
5 take a nap _____ 10 빼앗다, 훔치다 _____

B 빈칸에 알맞은 단어를 [보기]에서 골라 쓰시오. (필요시 형태를 고칠 것)

| 보기 | endure | satisfactory | grocery | backbone | advantage |

11 She is strong enough to _____ the pain.
그녀는 고통을 견뎌낼 만큼 강인하다.

12 Crossing your legs is bad for your _____.
다리를 꼬는 것은 척추에 해롭다.

13 In basketball, tall players have a(n) _____.
농구에서는 키 큰 선수가 유리하다.

14 Mom stopped by the _____ store on her way home.
엄마는 집에 오는 길에 식료품점에 들렀다.

15 You can't get any _____ answers from anyone.
당신은 누구로부터도 만족스러운 답을 얻을 수 없다.

Day
41

C 설명하는 단어를 [보기]에서 골라 쓰시오.

| 보기 | rob | camel | being | hometown | cage |

16 something that exists, or the stat of existing _____
17 a structure for keeping pets or animals _____
18 to take money or property from a person or place illegally _____
19 the place where you were born or lived as a child _____
20 an animal used in the desert for carrying goods _____

DAY 42

이 마을에는 전해오는 folk 이야기가 있단다.

호수에 무서운 괴물이 살고 있었어.

Sunset 후에 사람들을 잡아 먹었지.

우와~ 완전크다.

후에 그 괴물은 아주 큰 crocodile로 밝혀졌어

◀) MP3 파일을 들으면서 단어를 따라 읽어보세요.

---

616 bubble
[bʌ́bl]

blow bubbles
비눗방울을 불다

명 거품, 기포; 비눗방울
동 거품이 일다

Children love blowing bubbles.
아이들은   부는 것을 좋아한다.

---

617 crocodile
[krɑ́kədàil]

명 악어 (= alligator)

Crocodiles live in rivers and lakes.
          는 강과 호수에 산다.

➕ crocodile tears 거짓 눈물

강세주의

618 dessert
[dizə́:rt]

des[away] + sert[follow]
나중에 따라옴 → 후식

명 디저트, 후식

It's time for dessert.
          먹을 시간입니다.

➕ desert[dézərt] 명 사막

---

619 gym
[dʒim]

명 체육관 (= gymnasium)

I work out at the **gym** every day.
나는 매일 [   ]에서 운동을 한다.

---

620 scratch
[skrætʃ]

동 할퀴다, 긁다 (= rub)
명 할퀸 상처; 갈겨 쓴 것

Stop **scratching** your head!
머리 좀 그만 [   ]!

---

621 sunset
[sʌ́nsèt]

명 일몰; 말기

You will be able to enjoy the beautiful **sunset**.
당신은 아름다운 [   ]을 즐길 수 있을 겁니다.

↔ sunrise 명 일출; 초기

---

622 folk
[fouk]

형 민속의
명 사람들 (= people); 가족 (= family)

Folk Village
민속촌

He's interested in all kinds of **folk** music.
그는 모든 종류의 [   ] 음악에 관심이 있다.

Day 42

---

623 humor
[hjúːmər]

명 유머 (= comedy); 기분 (= mood)

She has a good sense of **humor**.
그녀는 뛰어난 [   ] 감각을 가지고 있다.

➕ humorous 형 우스운

---

624 arrow
[ǽrou]

명 화살 (= dart)

Time flies like an **arrow**.
시간은 [   ]처럼 지나간다.

625 elementary
[èləméntəri]

형 기본의, 기초의 (= basic, primary)

She made some elementary mistakes.
그녀는 몇 가지 [ ] 실수를 저질렀다.

➕ element 명 요소, 원소
↔ advanced 형 상급의

626 donate
[dóuneit]

don[give]+ate[make]
주게 만들다 → 기부하다

동 기부하다 (= contribute)

Some people donated their blood.
몇몇 사람들은 피를 [ ] (헌혈했다).

➕ donation 명 기부

발음주의

627 worthy
[wɔ́:rði]

형 가치 있는 (= valuable), …할 만한 (= deserving)

The movie is worthy of being seen.
그 영화는 볼 [ ] 가 있다.

➕ worth 명 가치 형 가치 있는
↔ worthless 형 가치 없는

628 either A or B

A와 B 중 하나

You can choose either tea or coffee.
당신은 차나 커피 [ ] 고를 수 있다.

629 turn out

판명되다 (= prove)

The report turned out to be false.
그 보도는 거짓으로 [ ].

630 be obliged to v.

…하지 않을 수 없다
(= be forced to, cannot help -ing)

We were obliged to accept the offer.
우리는 그 제안을 받아들이지 [ ].

Get More scratch의 다양한 뜻

1 명 할퀸 상처, 찰과상
a **scratch** on the face
얼굴의 찰과상

2 명 갈겨 쓴 것
a **scratch** of the pen
서명

✎ ANSWERS p. 286

A 영어는 우리말로, 우리말은 영어로 쓰시오.

1 donate   _____
2 crocodile   _____
3 turn out   _____
4 be obliged to   _____
5 humor   _____

6 가치 있는, …할 만한   _____
7 기본의, 기초의   _____
8 일몰, 말기   _____
9 거품, 기포, 거품이 일다   _____
10 A와 B 중 하나   _____

B 빈칸에 알맞은 단어를 [보기]에서 골라 쓰시오. (필요시 형태를 고칠 것)

| 보기 | dessert | folk | scratch | arrow | gym |

11 The _____ missed the target.
화살이 과녁을 빗나갔다.

12 The novel is based on _____ beliefs.
그 소설은 민속 신앙을 바탕으로 한 것이다.

13 The cat _____ my hand and ran away.
그 고양이는 내 손을 할퀴고는 도망갔다.

14 Exercise doesn't always mean going to the _____.
운동하는 것이 꼭 체육관에 간다는 것을 의미하지 않는다.

15 What would you like for _____, ice cream or chocolate cake?
아이스크림과 초콜릿 케이크 중 후식으로 뭘 드시겠어요?

C A : B = C : D의 관계가 되도록 빈칸에 알맞은 단어를 [보기]에서 골라 쓰시오.

| 보기 | elementary | humor | sunset | donate | worthy |

16 blank : empty = _____ : comedy
17 faithful : loyal = valuable : _____
18 formal : informal = sunrise : _____
19 nervous : calm = advanced : _____
20 benefit : advantage = _____ : contribute

한 유명한 poet의 biography를 소개해 드리겠습니다.

이 사람의 이름은 에드거 앨런 포(Edgar Allan Poe)입니다.

그는 orphan으로 태어났지만 많은 위대한 작품을 남겼습니다.

특히 "애너벨 리(Annabel Lee)"라는 작품은 아주 유명하죠.

◀) MP3 파일을 들으면서
단어를 따라 읽어보세요.

631 **microwave**
[máikrouwèiv]

microwave
전자레인지

명 전자레인지 (= microwave oven); 극초단파

Don't put metal in the **microwave**.
░░░░░ 에 금속을 넣지 마라.

632 **mushroom**
[mʌʃru(ː)m]

명 버섯

I'd like **mushroom** soup.
저는 ░░░░░ 수프로 할게요.

633 **admission**
[ædmíʃən]

admission ticket
입장권

명 입장 (= entrance); 입장료

Admission is free to the public.
░░░░░ 은 일반인에게 무료입니다.

➕ admit 통 들어가게 하다; 인정하다

634 biography
[baiágrəfi]

bio[life] + graphy[record]
삶의 기록 → 전기

명 전기, 일대기 (= life story)

He wrote a **biography** of Churchill.
그는 처칠의 [   ]를 썼다.

➕ autobiography 명 자서전

635 memorize
[mémərài z]

통 기억하다, 암기하다

You should **memorize** a lot of words.
너는 많은 단어를 [   ] 한다.

➕ memory 명 기억

636 poet
[póuit]

명 시인

He was a great **poet** and writer.
그는 위대한 [   ]이자 작가였다.

➕ poem 명 시
poetic 형 시적인

collection of poems
시집

637 ladder
[lǽdər]

명 사다리

He fell off the **ladder** and broke his leg.
그는 [   ]에서 떨어져서 다리가 부러졌다.

638 passport
[pǽspɔ̀ːrt]

명 여권, 통행증

Can I see your **passport**, please?
[   ]을 보여 주시겠습니까?

639 cancel
[kǽnsəl]

통 취소하다, 중지하다 (= call off)

I'd like to **cancel** my reservation.
저는 예약을 [   ] 싶습니다.

➕ canceled 형 취소된

Day 43

640 selfish
[sélfiʃ]

형 이기적인 (= self-centered)

A **selfish** person only cares about himself.
░░░░░ 사람은 자기 자신만 신경 쓴다.

✚ self 명 자신
  selfishness 명 이기심
↔ unselfish 형 욕심 없는

641 orphan
[ɔ́ːrfən]

명 고아

The nuns took care of the **orphans**.
수녀들이 ░░░░░ 을 돌보았다.

✚ orphanage 명 고아원

642 polar
[póulər]

형 북[남]극의

Polar bears live on the ice.
░░░░░ 곰은 얼음 위에서 산다.

643 in time

제시간에

I promise I will take you there **in time**.
내가 널 거기 ░░░░░ 데려가겠다고 약속할게.

✚ on time 정각에

644 be worth -ing

…할 가치가 있다 (= deserve, be worthwhile to v.)

The book is **worth** reading.
그 책은 읽을 만한 ░░░░░.

645 compare A to B
A를 B에 비유하다

The poet **compared** life to a voyage.
그 시인은 인생을 항해에 ░░░░░.

✚ compare A with B A를 B와 비교하다

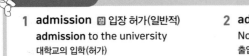

Get More   admission *vs.* admittance

1 admission 명 입장 허가(일반적)
  admission to the university
  대학교의 입학(허가)

2 admittance 명 입장 허가(격식적)
  No **admittance**
  출입 금지

✎ ANSWERS p. 286

A 영어는 우리말로, 우리말은 영어로 쓰시오.

1	poet	_____	6	…할 가치가 있다	_____
2	in time	_____	7	전자레인지, 극초단파	_____
3	orphan	_____	8	취소하다, 중지하다	_____
4	memorize	_____	9	A를 B에 비유하다	_____
5	mushroom	_____	10	이기적인	_____

B 빈칸에 알맞은 단어를 [보기]에서 골라 쓰시오. (필요시 형태를 고칠 것)

보기	biography	passport	ladder	admission	polar

11 I lost my _____ and wallet.
나는 여권과 지갑을 잃어버렸다.

12 He climbed up the _____ to fix the roof.
그는 지붕을 고치기 위해서 사다리를 타고 올라갔다.

13 _____ is free for children under age five.
5세 이하의 어린이는 무료 입장입니다.

14 He will read a(n) _____ of George Washington.
그는 조지 워싱턴의 전기를 읽을 것이다.

15 The _____ regions are covered with snow and ice.
극지방은 눈과 얼음으로 덮여 있다.

C 괄호 안에서 알맞은 말을 골라 빈칸에 쓰시오.

16 (poet / poetic)   ⓐ _____ expression
　　　　　　　　　　 ⓑ such a _____ as Shakespeare

17 (cancel / canceled)   ⓐ _____ a baseball game
　　　　　　　　　　　　 ⓑ a _____ check

18 (memory / memorize)   ⓐ _____ of old days
　　　　　　　　　　　　　 ⓑ _____ a poem

19 (selfish / selfishness)   ⓐ an act of _____
　　　　　　　　　　　　　　 ⓑ from _____ motives

20 (orphan / orphanage)   ⓐ a war _____
　　　　　　　　　　　　　 ⓑ build an _____

Day
43

🔊 MP3 파일을 들으면서
단어를 따라 읽어보세요.

---

646 **seafood**

[síːfùːd]

seafood restaurant
해산물 식당

명 해산물

Do you prefer meat or seafood?
육류가 좋아요, [   ]이 좋아요?

➕ sea 명 바다

---

647 **bride**

[braid]

bride and groom
신부와 신랑

명 신부

You may kiss the bride.
[   ]에게 키스해도 좋습니다.

➕ bridal 형 신부의
↔ (bride)groom 명 신랑

---

648 **snail**

[sneil]

명 달팽이

He is as slow as a snail.
그는 [   ]만큼 느리다.

---

649 strategy
[strǽtədʒi]

strat[army] + egy[to lead]
군대를 이끎 → 전략

명 전략, 방책 (= policy)

He missed the **strategy** meeting.
그는   회의에 불참했다.

➕ strategically 뷔 전략적으로

650 tuna
[tjúːnə]

can of tuna
참치캔

명 참치

I'll have a **tuna** sandwich.
저는   샌드위치로 할게요.

651 bud
[bʌd]

명 눈, 싹, 봉오리 (= shoot, sprout)

Finally, the **buds** came out.
마침내,   이 돋아났다.

➕ budding 형 싹트기 시작하는

652 carbohydrate
[kàːrbouháidreit]

명 탄수화물

Potatoes contain a lot of **carbohydrates**.
감자는 많은   을 함유하고 있다.

653 obvious
[ábviəs]

ob[against] + vi[look] + ous
역으로 볼 수 있는 → 명백한

형 명백한, 분명한 (= clear)

However, one fact was **obvious**.
그러나, 한 가지 사실은   .

➕ obviously 뷔 명백하게, 분명히
↔ unclear 형 불확실한

654 bead
[biːd]

명 구슬

Some **beads** are made of precious stones.
어떤   은 보석으로 만들어진다.

655 slice
[slais]

圐 (얇게 썬) 조각 (= piece)
동 얇게 썰다

The pie has been cut into slices.
파이가 ▨▨▨▨▨으로 잘려져 있다.

---

656 diligent
[dílədʒənt]

휑 근면한, 부지런한 (= hardworking)

Koreans are known as a diligent people.
한국인들은 ▨▨▨▨▨ 민족으로 알려져 있다.

➕ diligence 圐 근면
↔ lazy 휑 게으른

---

657 sesame
[sésəmi]

圐 참깨

Some farmers grow sesame in their fields.
몇몇 농부들은 밭에서 ▨▨▨▨▨를 재배한다.

---

658 give ··· a hand

돕다 (= help); 박수치다 (= clap, applaud)

Can you give me a hand?
나 좀 ▨▨▨▨▨?

Everybody gave her a big hand.
모두가 그녀에게 큰 ▨▨▨▨▨.

---

659 play a role in

···에서 역할을 하다 (= play a part in)

Computers play an important role in our lives.
컴퓨터는 우리 생활에 중요한 ▨▨▨▨▨.

---

660 frankly speaking

솔직히 말해서
(= to be honest, to be frank with you)

Frankly speaking, I don't remember his name.
▨▨▨▨▨, 나는 그의 이름이 기억나지 않는다.

Get More slice *vs.* chop

1 slice 동 얇게 썰다, 베다
slice a pie 파이를 자르다

2 chop 동 잘게 썰다
chop the lettuce 양상추를 썰다

✎ ANSWERS p. 286

A 영어는 우리말로, 우리말은 영어로 쓰시오.

1 diligent _____
2 slice _____
3 give … a hand _____
4 strategy _____
5 frankly speaking _____

6 명백한, 분명한 _____
7 해산물 _____
8 눈, 싹, 봉오리 _____
9 참치 _____
10 …에서 역할을 하다 _____

B 빈칸에 알맞은 단어를 [보기]에서 골라 쓰시오. (필요시 형태를 고칠 것)

| 보기 | bead | carbohydrate | sesame | snail | bride |

11 Finally, add some _____ oil.
마지막으로, 참기름을 넣어라.

12 All _____ have shells on their backs.
모든 달팽이들은 등에 껍데기를 가지고 있다.

13 She strung hundreds of colorful _____.
그녀는 수백 개의 다채로운 구슬들을 실에 꿰었다.

14 The _____ and groom walked down the aisle together.
신랑 신부가 함께 통로를 따라 걸어왔다.

15 Protein, _____ and fat are sources of energy for your body.
단백질, 탄수화물, 지방은 신체를 위한 에너지 공급원이다.

C 설명하는 단어를 [보기]에서 골라 쓰시오.

| 보기 | obvious | bud | slice | diligent | strategy |

16 easy to understand or see _____
17 working hard with care and effort _____
18 the part of a plant that develops into a flower or leaf _____
19 a plan that you use to achieve something _____
20 to cut something into thin pieces _____

Day 44

🔊 MP3 파일을 들으면서
단어를 따라 읽어보세요.

---

661 **grasshopper**

□□ [grǽshɑ̀pər]

명 메뚜기, 베짱이

Grasshoppers harm crops.

░░░ 는 농작물에 해를 끼친다.

---

662 **herb**

□□ [həːrb]

herb tea
허브차

명 풀, 약초

She uses many different **herbs** and spices.

그녀는 여러 가지 ░░░░░ 와 향신료를 사용한다.

➕ herbal **형** 풀의, 약초의

---

663 **continent**

□□ [kɑ́ntənənt]

New Continent
신대륙 (남북 아메리카)

명 대륙

Asia is the biggest continent in the world.

아시아는 세계에서 가장 큰 ░░░░░ 이다.

➕ continental **형** 대륙의

---

664 erase
[iréis]

동 지우다 (= delete, remove)

Could you erase the blackboard?
칠판 좀   주시겠어요?

✚ eraser 명 지우개
   erased 형 지워진

665 appearance
[əpíərəns]

명 외모 (= look); 출현

She has pride in her appearance.
그녀는 자기   에 자신감이 있다.

✚ appear 동 나타나다

666 fiber
[fáibər]

명 섬유, 섬유질

Vegetables give us vitamins and fiber.
야채는 우리에게 비타민과   을 제공한다.

667 earthquake
[ɔ́ːrθkwèik]

earth[ground] + quake[shake]
지면이 흔들림 → 지진

명 지진 (= quake)

A strong earthquake killed a lot of people.
강력한   으로 많은 사람들이 죽었다.

✚ earth 명 지구, 땅

Day 45

668 dine
[dain]

동 식사를 하다, 정찬을 먹다 (= eat, have dinner)

We are going to dine out tonight.
우리는 오늘 밤에 밖에서   것이다.

✚ dinner 명 만찬, 정찬
   dine out 외식하다

669 centipede
[séntəpìːd]

centi[hundred] + pede[foot]
수많은 다리 → 지네

명 지네

Some centipedes can be very poisonous.
어떤   는 강한 독을 가지고 있을 수 있다.

670 expedite
[ékspədàit]

图 촉진시키다 (= accelerate), 신속히 처리하다

These changes will **expedite** their research.
이러한 변화들은 그들의 연구를 ▨▨▨▨▨.

✚ expedition 圀 원정대, 신속
↔ delay 图 늦추다

671 gravity
[grǽvəti]

图 중력 (= gravitation), 무게

There's no **gravity** on the moon.
달에는 ▨▨▨▨▨ 이 없다.

✚ gravity-free 무중력

672 dandelion
[dǽndəlàiən]

图 민들레

Dandelions have been used for medicine.
▨▨▨▨▨ 는 약으로 쓰여 왔다.

673 make fun of

…을 놀리다 (= ridicule)

My classmates **make fun of** me.
우리반 친구들이 나를 ▨▨▨▨▨.

674 have an idea of

…에 대해 알고 있다 (= know)

We should **have an idea of** current issues.
우리는 최근의 논쟁에 대해 ▨▨▨▨▨ 한다.

↔ have no idea of …에 대해 모르다

675 in spite of

…에도 불구하고 (= despite, regardless of)

In spite of the rain, we enjoyed our holiday.
비가 오는데도 ▨▨▨▨▨ 우리는 휴일을 즐겼다.

Get More gravity의 다양한 뜻

1 圀 중력, 무게
the force of **gravity**
중력의 힘

2 圀 진지함, 중대함
the **gravity** of the situation
사태의 심각성

✎ ANSWERS p. 287

Ⓐ 영어는 우리말로, 우리말은 영어로 쓰시오.

1	earthquake	_____	6	섬유, 섬유질	_____
2	centipede	_____	7	신속히 처리하다	_____
3	continent	_____	8	식사를 하다, 정찬을 먹다	_____
4	make fun of	_____	9	…에도 불구하고	_____
5	appearance	_____	10	…에 대해 알고 있다	_____

Ⓑ 빈칸에 알맞은 단어를 [보기]에서 골라 쓰시오. (필요시 형태를 고칠 것)

> 보기   dandelion   herb   gravity   grasshopper   erase

11 All of these _____ are good for colds.
이 약초들은 모두 감기에 좋다.

12 Things fall to the ground because of _____.
물체는 중력 때문에 땅으로 떨어진다.

13 A(n) _____ can jump from one weed to another.
메뚜기는 이 풀에서 저 풀로 뛰어다닐 수 있다.

14 The seeds of the _____ are spread by the wind.
민들레 씨앗은 바람에 의해서 퍼진다.

15 You can _____ the disk and use it over and over again.
여러분은 디스크를 지우고 몇 번이고 다시 사용할 수 있습니다.

Ⓒ 관계있는 것끼리 선으로 연결하시오.

16 expedite •　　　　• ⓐ a very large area of land surrounded by sea

17 appearance •　　　　• ⓑ the way someone or something looks to other people

18 continent •　　　　• ⓒ to make a process or action happen more quickly

19 centipede •　　　　• ⓓ a sudden movement of the earth's surface that often causes a lot of damage

20 earthquake •　　　　• ⓔ a small creature like a worm with a long, thin body, and many legs

Day
45

DAY 41~45   Review Test

✎ ANSWERS p. 287

다음 우리말에 맞게 빈칸에 주어진 철자로 시작하는 단어를 쓰시오.

DAY 41

1	큰 이점	a big **a**_____
2	필기 도구	a writing **i**_____
3	식료품 목록	**g**_____ lists
4	돈을 훔치다	**r**_____ the money
5	만족스러운 해결책	a **s**_____ solution
6	온갖 고난을 견디다	**e**_____ every hardship

DAY 42

7	내가 가장 좋아하는 후식	my favorite **d**_____
8	화살을 겨누다	aim the **a**_____
9	일몰 후에	after **s**_____
10	초등학교	an **e**_____ school
11	헌혈하다	**d**_____ blood
12	민속춤	a **f**_____ dance

DAY 43

13	극지 탐험가	a **p**_____ explorer
14	방문을 취소하다	**c**_____ a visit
15	타고난 시인	a born **p**_____
16	글귀를 외우다	**m**_____ a passage
17	불쌍한 고아	a poor **o**_____
18	이기적인 생각	a **s**_____ idea

DAY 44

19	분명한 사실	an **o**_____ fact
20	신붓감을 찾다	look for a **b**_____
21	구슬을 꿰다	thread **b**_____s
22	근면한 노동자	a **d**_____ worker
23	참치 통조림	a can of **t**_____
24	생존 전략	a survival **s**_____

DAY 45

25	중력의 법칙	the law of **g**_____
26	약초 채집	a collection of **h**_____s
27	선을 지우다	**e**_____ a line
28	근섬유	muscle **f**_____
29	매력적인 모습	an attractive **a**_____
30	남극 대륙	the Antarctic **C**_____

204   Part Ⅱ 필수 어휘로 내신 다지기

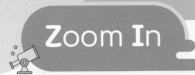

어법에 유의해야 할 어휘 I

동사 make의 여러 가지 쓰임

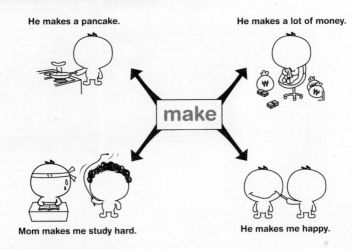

He makes a pancake.

He makes a lot of money.

make

Mom makes me study hard.

He makes me happy.

만들다	예 Sometimes she **makes** cookies. 때때로 그녀는 쿠키를 만든다.
(돈을) 벌다	예 Artists don't **make** a lot of money. 예술가들은 많은 돈을 벌지 않는다.
…이 되다	예 She will **make** a good wife. 그녀는 좋은 아내가 될 것이다.
(…에게 ~을) 만들어 주다	예 My mother **made** me this dress. 엄마는 내게 이 드레스를 만들어 주셨다.
(…를 ~하게) 하다	예 This movie **made** her sad. 이 영화는 그녀를 슬프게 했다.
…하게 시키다	예 The teacher **made** us study hard. 선생님은 우리가 열심히 공부하도록 시켰다.

옛날에는 ox가
농사일을 도맡아 했습니다.

일이 끝나면 ox는 meadow에서
풀을 뜯어 먹곤 했습니다.

🔊 MP3 파일을 들으면서
단어를 따라 읽어보세요.

농부는 ox를 pine에
묶어 두기도 했죠.

농부에게 ox는 자식과 다름없었어요.

---

676 sleeve

[sliːv]

sleeveless shirt
민소매 셔츠

명 소매

Her dress has short sleeves.
그녀의 옷은 짧은 　　　　　이다.

➕ sleeveless 형 소매 없는

---

677 ox

[ɑks]

명 황소

In the old days, the oxen did heavy work.
옛날에는 　　　　　가 힘든 일을 했다.

➕ cow 명 암소
    pl. oxen

---

678 customer

[kʌ́stəmər]

명 고객, 단골 (= client)

The customer is always right.
　　　　　이 항상 옳다.

↔ owner 명 주인

---

206 Part Ⅱ 필수 어휘로 내신 다지기

679 pine
[pain]

명 솔, 소나무 (= pine tree)

This pine tree has a history.

이 □□□□□□ 는 유서 깊다.

---

680 palm
[pɑːm]

명 손바닥; 야자수

Your right palm shows your job or marriage.

당신의 오른쪽 □□□□□□ 은 직업이나 결혼에 대해 말해 준다.

---

681 portable
[pɔ́ːrtəbl]

port[carry] + able
가지고 다닐 수 있는 → 휴대용의

portable radio
휴대용 라디오

형 휴대용의 (= movable, easily carried)

She received a portable multimedia player as her birthday present.

그녀는 생일 선물로 □□□□□□ 멀티미디어 플레이어를 받았다.

↔ fixed 형 고정된

---

682 nausea
[nɔ́ːziə]

명 구역질 (= vomiting), 메스꺼움

I sometimes feel nausea.

나는 가끔 □□□□□□ 을 느낀다.

---

683 illegal
[ilíːgəl]

il[not] + legal
법적이 아닌 → 불법의

형 불법의, 비합법적인 (= unlawful)

I got a ticket for illegal parking.

나는 □□□□□□ 주차로 딱지를 떼었다.

✚ illegally 뷔 불법으로
↔ legal 형 합법적인

---

684 meadow
[médou]

명 목초지, 초원 (= pasture, field)

Some sheep were grazing in the meadow.

몇 마리의 양들이 □□□□□□ 에서 풀을 뜯고 있었다.

✚ meadowy 형 목초지의

685 mineral
[mínərəl]

mineral water
광천수

명 광물, 무기물

The province is rich in mineral resources.
이 지방은 [   ] 자원이 풍부하다.

➕ mineralize ⑧ 광물화하다

---

686 rubble
[rʌ́bl]

명 파편, 암석 조각

The streets were full of rubble.
거리는 [   ]으로 가득했다.

---

687 misunderstand
[mìsʌndərstǽnd]

mis[wrong] + understand
잘못 이해하다 → 오해하다

동 오해하다 (= mistake)

He misunderstood something.
그는 뭔가를 [   ].

➕ misunderstanding 명 오해

---

688 stop by

…에 들르다 (= stop in)

I'll stop by your office around 1 p.m.
나는 오후 1시쯤에 네 사무실에 [   ] 거야.

---

689 none the less

그럼에도 불구하고 (= nevertheless)

I love him none the less for his faults.
나는 그의 단점에도 [   ] 그를 사랑한다.

---

690 be composed of

…으로 구성되다 (= be made up of, consist of)

Water is composed of hydrogen and oxygen.
물은 수소와 산소로 [   ].

 Get More ox *vs.* bull *vs.* cow

1 ox	2 bull	3 cow
명 거세된 수소(소의 총칭)	명 거세하지 않은 수소	명 암소

DAY 46 Wrap-up Test

ANSWERS p. 287

A 영어는 우리말로, 우리말은 영어로 쓰시오.

1 stop by _____ 6 오해하다 _____
2 sleeve _____ 7 솔, 소나무 _____
3 meadow _____ 8 황소 _____
4 none the less _____ 9 고객, 단골 _____
5 portable _____ 10 …으로 구성되다 _____

B 빈칸에 알맞은 단어를 [보기]에서 골라 쓰시오. (필요시 형태를 고칠 것)

| 보기 rubble | palm | illegal | nausea | mineral |

11 They found something under the _____.
그들은 파편 아래서 뭔가를 발견했다.

12 It is _____ to sell cigarettes to teenagers.
십대들에게 담배를 파는 것은 불법이다.

13 _____ is a common symptom of pregnancy.
구역질은 임신의 일반적인 증상이다.

14 Plants obtain water and _____ from the soil.
식물은 토양으로부터 물과 무기물들을 얻는다.

15 The portable computer is small enough to fit in your _____.
그 휴대용 컴퓨터는 당신의 손바닥에 들어갈 정도로 작다.

Day 46

C 설명과 일치하는 단어를 골라 ✓표시를 하시오.

16 able to be carried or moved easily ☐portable ☐rubble
17 a tall tree with leaves like needles ☐pine ☐palm
18 the field covered in grass and flowers ☐mineral ☐meadow
19 a part of clothing that covers your arms ☐nausea ☐sleeve
20 a person who buys goods or a service ☐customer ☐seller

◀ MP3 파일을 들으면서
단어를 따라 읽어보세요.

---

691 sweat

[swet]

동 땀을 흘리다
명 땀

People sweat for many different reasons.
사람들은 여러 가지 이유로 ░░░░░░░░.

---

692 prosper

[práspər]

pro[forth] + sper[hope]
앞으로 기대하다 → 번영하다

동 번영하다, 번창하다 (= succeed)

Peace allows a nation to prosper.
평화가 국가를 ░░░░░░ 한다.

➕ prosperity 명 번영

---

693 typhoon

[taifú:n]

eye of a typhoon
태풍의 눈

명 태풍 (태평양 서부에서 발생) (= storm)

A strong typhoon hit the city.
강력한 ░░░░░░ 이 그 도시를 강타했다.

➕ hurricane 명 태풍 (멕시코만에서 발생)

---

⁶⁹⁴ **weed**
[wi:d]

명 잡초
동 잡초를 뽑다

We need to pull up the weeds first.
우리는 먼저 [   ]를 뽑아야 한다.

➕ weedy 형 잡초가 많은

---

⁶⁹⁵ **soak**
[souk]

동 적시다 (= wet); 흡수하다 (= absorb)

Soak the cabbage in the salt water.
배추를 소금물에 [   ](절이시오).

➕ soaked 형 흠뻑 젖은
↔ dry 동 말리다

---

⁶⁹⁶ **taboo**
[təbúː]

명 금기 (= ban)
형 금기의

Different cultures have different taboos.
서로 다른 문화는 각기 다른 [   ]를 가지고 있다.

---

⁶⁹⁷ **so-called**
[sóukɔ́ːld]

형 소위, 이른바

These are so-called modern style buildings.
이것들이 [   ] 말하는 현대식 건물들이다.

---

⁶⁹⁸ **semester**
[siméstər]

se[six] + mester[month]
여섯 달 → 한 학기

명 한 학기 (= session)

I'd like to take this course next semester.
나는 다음 [   ]에 이 수업을 듣고 싶다.

Day
47

---

⁶⁹⁹ **tame**
[teim]

tame cat
집고양이

동 길들이다
형 길든, 길들여진, 온순한

It takes time to tame an animal.
동물을 [   ] 데는 시간이 걸린다.

➕ tamer 명 조련사
↔ wild 형 야생의

700	**symptom**	명 증상, 징후 (= sign)
☐☐	[símptəm]	A sore throat is a common symptom of a cold.
		목이 아픈 것은 감기의 일반적인 ///////// 이다.

701	**vomit**	동 토하다, 분출하다 (= throw up)
☐☐	[vámit]	I feel like I'm going to vomit.
	vomit – vomited – vomited	나는 마치 ///////// 것 같은 기분이다.
		➕ vomiting 명 구토

702	**starve**	동 굶주리다 (= hunger), 굶어 죽다
☐☐	[staːrv]	Almost every prisoner starved to death.
		거의 모든 포로가 ///////// 죽었다.
		↔ feed 동 먹이다

703	**get married to** *n.*	…와 결혼하다 (= marry)
☐☐		The princess didn't get married to the prince in the end.
		공주는 결국 왕자와 ///////// 않았다.

704	**used to** *v.*	…하곤 했다 (습관 = would); …였다 (상태)
☐☐		We used to be friends a long time ago.
		우리는 오래전에 친구 /////////.
		➕ be used to –ing …에 익숙하다

705	**be familiar with**	…에 익숙하다, …을 잘 알다
☐☐		(= be acquainted with, be accustomed to -ing)
		They are not familiar with the area.
		그들은 그 지역을 ///////// 못한다.

Get More soak의 다양한 뜻

1 동 적시다
soak bread in milk
빵을 우유에 적시다

2 동 흡수하다
soak up information
정보를 흡수하다

✏ ANSWERS p. 287

A 영어는 우리말로, 우리말은 영어로 쓰시오.

1 typhoon _____

2 semester _____

3 so-called _____

4 vomit _____

5 get married to _____

6 …하곤 했다, …였다 _____

7 길들이다, 길들여진 _____

8 …에 익숙하다, 잘 알다 _____

9 굶주리다, 굶어 죽다 _____

10 잡초, 잡초를 뽑다 _____

B 빈칸에 알맞은 단어를 [보기]에서 골라 쓰시오. (필요시 형태를 고칠 것)

보기	soak	prosper	symptom	taboo	sweat

11 Are there any visible _____?
눈에 보이는 증상들이 있나요?

12 First, _____ rice in water.
먼저, 쌀을 물에 불리세요.

13 They were covered with _____ after the long walk.
오랫동안 걸은 후에 그들은 땀범벅이 되었다.

14 Some topics are considered _____ in conversation.
대화 중에 몇 가지 주제들은 금기로 여겨진다.

15 After the war, the business finally started to _____.
전쟁 후에, 그 사업은 마침내 번창하기 시작했다.

C 설명하는 단어를 [보기]에서 골라 쓰시오.

보기	weed	semester	tame	starve	typhoon

16 to suffer or die because of lack of food _____

17 a wild plant growing where it is not wanted _____

18 a violent tropical storm with very strong winds _____

19 to train a wild animal to be gentle and obey you _____

20 one of the two periods that the school year is divided into _____

DAY 48

나의 wizard여, 부디 제가 살을 뺄 수 있는 비법을 알려주세요!!

좋다, 그럼 하루 세 끼 오직 bean만 먹도록 하여라.

그리고 다섯 시간씩 work out하도록 해라.

누구나 아는 방법… 당신 마법사 맞아?

◀) MP3 파일을 들으면서
단어를 따라 읽어보세요.

---

706 **fist**
[fist]

명 주먹

You can use your fists to attack.
당신은 공격하기 위해 ▨▨▨▨▨ 을 사용할 수 있다.

➕ fistful 명 한 움큼, 대량

---

707 **bean**
[biːn]

명 콩, 열매

Children don't like to eat beans.
아이들은 ▨▨▨▨▨ 을 먹는 것을 좋아하지 않는다.

---

708 **fable**
[féibl]

Aesop's fables
이솝우화

명 우화 (= tale, fiction)

Fables reflect ancient wisdom and beliefs.
▨▨▨▨▨ 는 고대의 지혜와 믿음을 반영한다.

➕ fabled 형 허구의; 전설적인
↔ fact 명 사실

---

709 crab
[kræb]

명 게

All crabs have hard shells.
모든 ▓▓▓▓▓ 는 단단한 껍데기를 가지고 있다.

---

710 wizard
[wízərd]

명 마법사 (= magician)
형 마법의

He was a very powerful and wise wizard.
그는 매우 강하고 슬기로운 ▓▓▓▓▓ 였다.

---

711 cheerful
[tʃíərfəl]

형 쾌활한, 유쾌한 (= pleasant)

A cheerful heart is good medicine.
▓▓▓▓▓ 마음은 좋은 약이 된다.

➕ cheer 명 환호 동 환호하다
↔ depressed 형 우울한

---

712 cooperate
[kouápərèit]

co[together] + operate[work]
함께 일하다 → 협력하다

동 협력하다, 협동하다 (= collaborate, join)

Everyone cooperated with the police to find the lost child.
그 미아를 찾기 위해 모든 사람들이 경찰과 ▓▓▓▓▓.

➕ cooperation 명 협력

발음주의

713 devise
[diváiz]

동 궁리하다, 고안하다 (= invent)

They devised a variety of ball games.
그들은 다양한 공놀이를 ▓▓▓▓▓.

➕ device[diváis] 명 장치; 고안

---

714 workout
[wɔ́ːrkàut]

명 운동, 연습 (= exercise)

We went to the gym for a workout.
우리는 ▓▓▓▓▓ 을 하기 위해 체육관에 갔다.

➕ work out 운동하다; 잘 되어가다

Day
48

715 believable
[bilíːvəbl]

형 믿을 수 있는 (= credible)

In fact, the story is quite believable.
사실, 그 이야기는 제법 ▨▨▨▨▨▨다.

➕ belief 명 믿음
↔ unbelievable 형 믿을 수 없는

강세주의

716 employee
[emplɔíː]

명 고용인, 종업원 (= clerk, worker)

That firm has fifty employees.
그 회사는 50명의 ▨▨▨▨▨▨을 두고 있다.

➕ employ 동 고용하다
↔ employer 명 고용주

717 equilibrium
[ìːkwəlíbriəm]

equi[equal] + libr[balance] + ium
동일한 균형 → 균형

명 균형, 평형 (= balance)

Eventually the market will reach an equilibrium.
결국 시장은 ▨▨▨▨▨ 에 도달할 것이다.

718 take part in

···에 참가하다

We took part in Korean Dance contest.
우리는 한국 무용 대회에 ▨▨▨▨▨.

719 in other words

다시 말해서, 즉 (= that is)

They asked him to leave. In other words, he was fired.
그들은 그에게 떠날 것을 요청했다. ▨▨▨▨▨, 그는 해고되었다.

720 all at once

갑자기 (= suddenly, unexpectedly)

Everything happened all at once.
모든 것이 ▨▨▨▨ 일어났다.

Get More wizard vs. witch

1 wizard 명 (남자) 마법사; 귀재
a **wizard** at the piano 피아노의 귀재

2 witch 명 (여자) 마법사
a white **witch** 착한 마녀

✎ ANSWERS p. 288

A 영어는 우리말로, 우리말은 영어로 쓰시오.

1 devise _____
2 crab _____
3 cheerful _____
4 cooperate _____
5 all at once _____

6 믿을 수 있는 _____
7 마법사, 마법의 _____
8 운동, 연습 _____
9 …에 참가하다 _____
10 다시 말해서, 즉 _____

B 빈칸에 알맞은 단어를 [보기]에서 골라 쓰시오. (필요시 형태를 고칠 것)

| 보기 | employee | fist | bean | equilibrium | fable |

11 Each _____ has its own lesson.
각각의 우화는 나름의 교훈을 가지고 있다.

12 Boil the _____ until they are soft.
콩들을 부드러워질 때까지 삶아라.

13 Kiwis are as big as a(n) _____ of a baby.
키위는 아기의 주먹만한 크기이다.

14 People try to find and maintain their inner _____ .
사람들은 내적 균형을 찾고 유지하려고 노력한다.

15 Korean _____ work 45 hours a week on average.
한국의 근로자들은 평균적으로 주당 45시간을 일한다.

C A : B = C : D의 관계가 되도록 알맞은 단어를 [보기]에서 골라 쓰시오.

| 보기 | equilibrium | fable | cheerful | workout | employee |

16 poverty : wealth = _____ : fact
17 male : female = _____ : employer
18 proof : evidence = _____ : balance
19 lately : recently = exercise : _____
20 absent : present = depressed : _____

Day
48

DAY 49

🔊 MP3 파일을 들으면서
단어를 따라 읽어보세요.

---

721 bullet
[búlit]

명 총알

The hunter only had one bullet.
그 사냥꾼은 ▦▦▦ 이 겨우 한 개 밖에 없었다.

➕ bulletproof 형 방탄의

---

722 shopkeeper
[ʃápkíːpər]

명 가게 주인, (소매) 상인 (= storekeeper)

The shopkeeper never lowers the price.
그 ▦▦▦ 은 절대로 값을 낮추지 않는다.

➕ merchant 명 (무역) 상인

---

723 overseas
[óuvərsíːz]

overseas trip
해외 여행

형 해외의 (= foreign)
부 해외로 (= abroad)

This is my first overseas trip.
이번이 나의 첫 번째 ▦▦▦ 여행이다.

---

724 bulb
[bʌlb]

light bulb
전구

명 전구; 구근 (동그랗게 생긴 뿌리)

Edison invented the electric bulb.
에디슨은 _____를 발명했다.

725 routine
[ruːtíːn]

명 일상의 일, 일과
형 일상의 (= ordinary)

I'm bored with my daily routine.
나는 내 평범한 _____에 싫증이 난다.

➕ routinely 분 일상적으로

726 upcoming
[ʌ́pkʌ̀miŋ]

형 다가오는 (= approaching)

Write down your wishes for the upcoming year.
_____ 해의 너의 소원들을 적어 봐라.

↔ past 형 지나간, 과거의

727 shepherd
[ʃépərd]

shep[sheep] + herd[herder]
양의 목자 → 양치기

명 양치기, 목자

The Lord is my shepherd.
주는 나의 _____이시니.

728 impressive
[imprésiv]

형 인상적인, 감동적인 (= moving, touching)

The story of the movie was very impressive.
그 영화의 줄거리는 매우 _____이었다.

➕ impress 동 감동을 주다
impression 명 인상, 감명

729 abnormal
[æbnɔ́ːrməl]

ab[off] + normal[rule]
규칙을 벗어난 → 비정상의

형 비정상의, 이상한 (= unusual, strange)

Stress can cause abnormal behavior.
스트레스는 _____ 행동을 일으킬 수 있다.

↔ normal 형 정상의

Day
49

730 landmark
[lǽndmàːrk]

📖 경계표, 상징 건물 (= monument)

The Ambassador Hotel is one of LA's landmarks.
앰배서더 호텔은 로스앤젤레스의 ▓▓▓ 중 하나이다.

731 passive
[pǽsiv]

📖 수동적인, 소극적인 (= inactive, submissive)

In the past, most women were passive.
과거에는 대부분의 여성들이 ▓▓▓ 이었다.

➕ passively ⊕ 수동적으로
↔ active ⊛ 적극적인

발음주의

732 martial
[máːrʃəl]

martial arts
무술

📖 전쟁의, 군의 (= military), 무(武)의

Taekwondo is one of Korean traditional martial arts.
태권도는 한국의 전통 ▓▓▓ 중 하나이다.

733 on and on

계속하여, 쉬지 않고 (= continuously)

The war went on and on for many years.
그 전쟁은 여러 해 동안 ▓▓▓ 되었다.

734 be likely to

…일 것 같다 (= seem to)

It's likely to rain this afternoon.
오늘 오후에 비가 올 ▓▓▓ .

735 nothing but

단지 …뿐 (= only)

Some of animals do nothing but sleep during the winter.
몇몇 동물은 겨울 동안 ▓▓▓ 잠만 잔다.

Get More   passive의 다양한 뜻

1 📖 수동적인, 소극적인
passive resistance 소극적인 저항

2 📖 외부 요인에 의한
passive smoking 간접 흡연

✎ ANSWERS p. 288

A 영어는 우리말로, 우리말은 영어로 쓰시오.

1	upcoming	_____	6	인상적인, 감동적인	_____
2	overseas	_____	7	총알	_____
3	nothing but	_____	8	계속하여, 쉬지 않고	_____
4	passive	_____	9	경계표, 상징 건물	_____
5	be likely to	_____	10	전쟁의, 군의, 무(武)의	_____

B 빈칸에 알맞은 단어를 [보기]에서 골라 쓰시오. (필요시 형태를 고칠 것)

보기	shopkeeper	bulb	abnormal	shepherd	routine

11 I didn't hear anything _____ .
나는 어떤 이상한 소리도 듣지 못했다.

12 These _____ last longer than others.
이 전구들은 다른 것들보다 더 오래 지속된다.

13 He was born the son of a rich _____ .
그는 부유한 상인의 아들로 태어났다.

14 The _____ takes good care of the sheep.
그 목자는 양을 잘 돌본다.

15 Try to make physical activity a part of your daily _____ .
신체적인 활동을 당신 일상의 한 부분으로 만들려고 노력하세요.

C 설명하는 단어를 [보기]에서 골라 쓰시오.

보기	bullet	routine	upcoming	martial	landmark

16 the usual order or the things you regularly do _____

17 connected with war and fighting _____

18 expected to appear in the near future _____

19 a small piece of metal that you fire from a gun _____

20 something that is easy to recognize and that helps
you know where you are _____

Day
49

DAY 50

Priceless한 우리 관계에 대해 제가 진지하게 말해 볼게요.

우리는 서로 첫눈에 반했죠.

우리의 결혼은 destine되어 있어요.

제발 정신 차리세욧!

🔊 MP3 파일을 들으면서 단어를 따라 읽어보세요.

---

736 railroad
[réilròud]

railroad track
철로

명 철도, 선로 (= railway)

The **railroad** passed through a tunnel.
░░░░ 는 터널을 통과하여 지나갔다.

---

737 chef
[ʃef]

명 주방장; 요리사 (= cook)

Every **chef** has a secret recipe.
모든 ░░░░ 은 요리 비법이 있다.

발음주의

738 handkerchief
[hǽŋkərtʃif]

명 손수건

She gave a **handkerchief** as a gift.
그녀는 선물로 ░░░░ 을 주었다.

---

739 rainfall
[réinfɔ̀:l]

명 강우, 강우량

Global climate changes may affect rainfall.
세계의 기후 변화는   에 영향을 끼칠 수 있다.

➕ shower 명 소나기

740 originate
[ərídʒənèit]

origin[birth] + ate
생겨나게 하다 → 시작하다

동 시작하다 (= begin), 생기다

The river originated from snow in the mountains.
그 강은 산 속의 눈에서   .

➕ origin 명 기원, 태생

741 priceless
[práislis]

형 아주 귀중한 (= invaluable, precious)

This painting is a priceless work of art.
이 그림은   예술 작품이다.

↔ worthless 형 가치 없는

742 lately
[léitli]

부 최근에, 요즘 (= recently)

I haven't seen him lately.
나는   그를 본 적이 없다.

➕ late 형 늦은 부 늦게

발음주의

743 refrigerate
[rifrídʒərèit]

동 냉각시키다 (= cool, freeze)

Wrap the dough and refrigerate it for an hour.
반죽을 싸서 한 시간 동안   .

➕ refrigerator 명 냉장고
↔ heat 동 가열하다

744 posture
[pástʃər]

명 자세 (= position)
동 자세를 취하다 (= pose)

Good posture is important for kids.
바른   는 아이들에게 중요하다.

straight posture
꼿꼿한 자세

745 geography
[dʒiːágrəfi]

geo[earth] + graphy[writing]
땅을 적어둔 것 → 지리학

명 지리학

Geography is a boring subject to me.
▨▨▨▨▨ 은 내게 지루한 과목이다.

---

746 harmful
[háːrmfəl]

형 유해한, 해로운 (= injurious, damaging)

Smoking is harmful to health.
흡연은 건강에 ▨▨▨▨▨ 다.

➕ harm 명 해 동 해를 끼치다
↔ harmless 형 무해한

---

747 destine
[déstin]

동 예정해 두다, 운명짓다 (= fate)

They were destined to meet each other again.
그들은 서로 다시 만날 ▨▨▨▨▨ .

➕ destiny 명 운명
   destination 명 목적지

---

748 face to face

직면하여, 마주보고

Both of them need to talk face to face.
둘 다 ▨▨▨▨▨ 이야기해야 한다.

---

749 cannot help -ing

…하지 않을 수 없다 (= cannot but v.)

Parents cannot help worrying about their children.
부모들은 자녀들에 대해 걱정하지 ▨▨▨▨▨ .

---

750 be up to n.

…에 달려 있다, …을 하다

The decision is up to each person.
결정은 각 사람에게 ▨▨▨▨▨ .

Get More posture의 다양한 뜻

1 명 자세
a good posture
좋은 자세

2 명 상황
a political posture
정치적 상황 (정세)

3 동 …인 체하다
posture as a critic
비평가인 체하다

✎ ANSWERS p. 288

A 영어는 우리말로, 우리말은 영어로 쓰시오.

1 harmful _____ 6 최근에, 요즘 _____

2 geography _____ 7 시작하다, 생기다 _____

3 be up to _____ 8 자세, 자세를 취하다 _____

4 refrigerate _____ 9 직면하여, 마주보고 _____

5 cannot help -ing _____ 10 철도, 선로 _____

B 빈칸에 알맞은 단어를 [보기]에서 골라 쓰시오. (필요시 형태를 고칠 것)

| 보기 chef rainfall handkerchief priceless destine |

11 A true friend is a _____ treasure.
진정한 친구는 아주 귀중한 보물이다.

12 Heavy _____ is expected in the northwest.
북서부 지방에 많은 비가 예상된다.

13 As a _____ , I spend a lot of time in the kitchen.
주방장으로서 나는 주방에서 많은 시간을 보낸다.

14 Some people are _____ to be stars.
어떤 사람들은 스타가 될 운명을 타고 난다.

15 The gentleman took out a _____ from his pocket.
그 신사는 주머니에서 손수건을 꺼냈다.

Day
50

C 빈칸에 알맞은 단어를 괄호 안에서 골라 쓰시오.

16 I have been so busy _____ . (lately / priceless)

17 Stress is _____ to both mind and body. (posture / harmful)

18 The idea didn't _____ with the Chinese. (originate / destine)

19 He taught _____ to high school students. (railroad / geography)

20 There was no way to _____ food in the past. (rainfall / refrigerate)

✎ ANSWERS p. 288

다음 우리말에 맞게 빈칸에 주어진 철자로 시작하는 단어를 쓰시오.

DAY 46

1 소매를 걷다   roll up one's s_____
2 고객 서비스   c_____ service
3 손금   the lines of the p_____
4 불법 행위   i_____ acts
5 휴대용 라디오   a p_____ radio
6 광물성 기름   m_____ oil

DAY 47

7 굶어 죽다   s_____ to death
8 주된 징후   a major s_____
9 사자를 길들이다   t_____ a lion
10 여름 학기   the summer s_____
11 태풍 경보   a t_____ warning
12 땀투성이의   full of s_____

DAY 48

13 공무원   a government e_____
14 쾌활한 태도   a c_____ attitude
15 계획을 생각해 내다   d_____ a plan
16 매일하는 운동   a daily w_____
17 전적으로 협력하다   fully c_____
18 균형 가격   an e_____ price

DAY 49

19 다가오는 선거   the u_____ election
20 소극적인 방어   a p_____ defense
21 해외 무역   o_____ trade
22 일상을 바꾸다   change a r_____
23 감동적인 연설   an i_____ speech
24 비정상적인 상황   a_____ conditions

DAY 50

25 자세 훈련   p_____ training
26 생선을 냉동시키다   r_____ fish
27 해로운 효과   h_____ effects
28 역사 지리학   historical g_____
29 아주 소중한 기억들   p_____ memories
30 평균 강우량   the average r_____

PART

III

놓치기 쉬운
어휘 챙기기

Day 51~60

DAY 51

옛날에, 어떤 tribe들은
태양을 숭배했습니다.

심지어 이집트의 왕은
자신을 태양신의 아들이라고 믿었지요.

여러분의 deed에 대해
다시 생각해보세요.

끄응~

하지만 astronomy의 발달로
많은 것이 바뀌었습니다.

🔊 MP3 파일을 들으면서
단어를 따라 읽어보세요.

---

751 **steal**
[sti:l]

steal – stole – stolen

동 훔치다 (= take)

The man stole the money from his clients.
그 남자는 고객들에게서 돈을 　　　　　.

---

752 **shrimp**
[ʃrimp]

fried shrimp
새우 튀김

명 새우

I ordered the fried shrimp.
저는 　　　　　 튀김을 주문했습니다.

---

753 **cellular**
[séljulər]

cellular phone
휴대 전화

형 세포의; 통화 존(zone) 식의

Don't use your cellular phone while driving.
운전하는 동안 　　　　　 전화를 사용하지 마라.

➕ cell 명 세포

---

754 underground
[ʌndərgráund]

형 지하의
명 지하 (= basement)

The building has an underground parking lot.
그 건물에는 [   ] 주차장이 있다.

underground passage
지하도

755 left-handed
[léfthǽndid]

형 왼손잡이의

Around one in ten people is left-handed.
대략 열 사람 중 한 명은 [   ]다.

↔ right-handed 형 오른손잡이의

756 chore
[tʃɔːr]

명 허드렛일, 집안일 (= housework)

I don't like to do chores.
나는 [   ] 하는 것을 좋아하지 않는다.

757 seasoning
[síːzəniŋ]

명 양념, 조미 (= spice)

Add some salt and pepper for seasoning.
[   ]을 위해 소금과 후추를 약간 넣어라.

✚ season 동 양념하다 명 계절

발음주의

758 adolescence
[ædəlésns]

명 사춘기 (= youth, teens)

Physical changes occur during adolescence.
신체적인 변화가 [   ] 동안 일어난다.

✚ adolescent 명 청소년 (= teenager)

Day 51

759 ash
[æʃ]

명 재 (= dust)

The streets were covered in ash.
거리는 [   ]로 뒤덮여 있었다.

760 **deed**
[diːd]

명 행동, 행위 (= action); 증서

Your deeds reflect who you are.
당신의 ▨▨▨ 은 당신이 어떤 사람인지를 나타낸다.

---

761 **tribe**
[traib]

명 부족, 종족

Every tribe has its own customs.
모든 ▨▨▨ 은 고유한 관습을 가지고 있다.

➕ tribal 형 부족의

강세주의

762 **astronomy**
[əstrάnəmi]

astro[star]+nomy[rule]
별의 법칙 → 천문학

명 천문학

Astronomy is the scientific study of the universe.
▨▨▨ 은 우주에 대한 과학적 연구이다.

➕ astronomical 형 천문학의

---

763 **in favor of**

…에 찬성하여 (= for)

Most members are in favor of the proposal.
대부분의 회원들은 그 제안에 ▨▨▨ 다.

↔ against 전 …에 반대하여

---

764 **would rather v.**

…하는 편이 낫다 (= had better v.)

You would rather walk than take a bus.
당신은 버스를 타는 것보다는 걷는 ▨▨▨.

---

765 **prior to n.**

…에 앞서 (= before)

You can't eat anything for 24 hours prior to the operation.
당신은 수술 ▨▨▨ 24시간 동안 아무것도 먹을 수 없다.

Get More   deed의 다양한 뜻

1 명 행위, 행동
a kind deed 친절한 행동

2 명 증서
a title deed 권리 증서

🖊 ANSWERS p. 289

A 영어는 우리말로, 우리말은 영어로 쓰시오.

1 would rather _____
2 cellular _____
3 adolescence _____
4 shrimp _____
5 prior to _____

6 천문학 _____
7 …에 찬성하여 _____
8 양념, 조미 _____
9 허드렛일, 집안일 _____
10 지하의, 지하 _____

B 빈칸에 알맞은 단어를 [보기]에서 골라 쓰시오. (필요시 형태를 고칠 것)

| 보기 | deed | steal | left-handed | tribe | ash |

11 Hot _____ erupted from the volcano.
뜨거운 재가 화산에서 분출되었다.

12 Make sure to do a good _____ every day.
매일 한 가지의 선행을 꼭 하십시오.

13 People who are _____ use their right brain.
왼손잡이인 사람들은 오른쪽 뇌를 사용한다.

14 The thief _____ all the money and ran away.
그 도둑은 모든 돈을 훔쳐서 도망쳤다.

15 The _____ moved from place to place to search for food.
그 부족은 식량을 찾기 위해 이리저리 이동했다.

C 설명하는 단어를 [보기]에서 골라 쓰시오.

| 보기 | chore | seasoning | underground | steal | astronomy |

16 under the surface of the ground _____
17 a task that you can do regularly such as cleaning _____
18 the scientific study of the sun, moon, stars, planets, etc. _____
19 salt, pepper or other spices used to add flavor to food _____
20 to take something that belongs to someone else without the permission _____

Day **51**

DAY 52

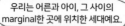

우리는 어른과 아이, 그 사이의 marginal한 곳에 위치한 세대예요.

어른들이 우리의 행동을 이해하지 못할 때도 있어요.

음 ..비지를 더럽게 끌고 다닌다나..

A-YO

함께 hang out하기도 쉽지 않아요.

하지만 서로를 이해하고 존중해야겠죠?

◀》 MP3 파일을 들으면서
단어를 따라 읽어보세요.

---

766 **mess**
□□
[mes]

몡 엉망진창 (= chaos)
통 어지러뜨리다

The room is always a mess.
방이 항상 　　　　　 이다.

➕ messy 혱 어질러진

---

767 **cigarette**
□□
[sígərèt]

몡 담배

Do you mind if I smoke a cigarette here?
제가 여기서 　　　　　 피워도 될까요?

cigarette case
담배 케이스

---

768 **greedy**
□□
[gríːdi]

혱 탐욕스러운

The story is about a greedy king.
그 이야기는 어떤 　　　　　 왕에 관한 것이다.

➕ greed 몡 탐욕
↔ generous 혱 관대한

---

769 marginal
[máːrdʒinl]

형 변두리의, 경계의

Teenagers are a marginal group between children and adults.
십대는 어린이와 어른 사이의 ▨▨▨ 집단이다.

✚ margin 명 여백, 가장자리
↔ central 형 중심의

770 forefinger
[fɔ́ːrfiŋɡər]

명 집게손가락 (= index finger), 검지

Cross your forefinger and middle finger.
▨▨▨ 과 가운데 손가락을 교차시켜라.

강세주의

771 diameter
[daiǽmətər]

dia[through]+meter[measure]
통하여 측정함 → 지름

명 지름

The circle is five centimeters in diameter.
그 원은 ▨▨▨ 이 5cm이다.

✚ radius 명 반지름

772 fierce
[fiərs]

형 사나운, 격렬한 (= wild)

The lion is a fierce animal.
사자는 ▨▨▨ 동물이다.

✚ fiercely 부 사납게
↔ mild 형 온순한, 온화한

773 peer
[piər]

명 또래, 동료 (= fellow)

I have many peers to help me.
나는 나를 도와줄 ▨▨▨ 가 많다.

774 layer
[léiər]

명 층 (= floor, level)

Onions have many layers.
양파는 여러 ▨▨▨ 으로 되어 있다.

✚ layered 형 층이 있는, 층을 이룬

ozone layer
오존층

Day
52

775 preserve

[prizə́ːrv]

pre[before]+serve[keep safe]
미리 보호하다 → 보존하다

동 보호하다 (= protect), 보존하다

We must preserve the environment.
우리는 환경을 [   ]만 한다.

➕ preservation 명 보존
↔ destroy 동 파괴하다

---

776 observatory

[əbzə́ːrvətɔ̀ːri]

명 관측소, 기상대

There is an observatory on the top floor.
꼭대기 층에 [   ]가 있다.

➕ observe 동 관찰하다
observation 명 관찰

발음주의

777 narrate

[nǽreit]

동 이야기하다 (= tell)

She narrated the story to the children.
그녀가 아이들에게 줄거리를 [   ].

➕ narration 명 이야기
narrator 명 해설자

---

778 hang out

어울리다 (= get along)

It's hard for him to hang out with people.
그에게는 사람들과 [   ] 것이 힘든 일이다.

---

779 catch up with

…을 따라잡다 (= come up with)

I couldn't catch up with the class.
나는 그 수업을 [   ] 수 없었다.

---

780 contrary to n.

…와 달리, …와 반대로 (= against, as opposed to n.)

Contrary to his expectations, she didn't show up.
그의 기대와는 [   ] 그녀는 나타나지 않았다.

Get More marginal의 다양한 뜻

1 형 변두리의, 가장자리의
a **marginal** space
가장자리의 여백

2 형 적은, 중요하지 않은
a **marginal** improvement
근소한 개선

3 형 한계의
marginal ability
한계 능력

✎ ANSWERS p. 289

A 영어는 우리말로, 우리말은 영어로 쓰시오.

1	observatory	_____	6	엉망진창, 어지러뜨리다 _____
2	layer	_____	7	또래, 동료 _____
3	hang out	_____	8	…와 달리, …와 반대로 _____
4	narrate	_____	9	탐욕스러운 _____
5	catch up with	_____	10	사나운, 격렬한 _____

B 빈칸에 알맞은 단어를 [보기]에서 골라 쓰시오. (필요시 형태를 고칠 것)

보기 preserve forefinger marginal diameter cigarette

11 The radius is half of the _____.
반지름은 지름의 반이다.

12 Each pack contains twenty _____.
각 갑에는 20개비의 담배가 들어 있다.

13 They did their best to _____ the traditions.
그들은 전통을 보존하기 위해 최선을 다했다.

14 The lower classes generally live in _____ areas.
저소득층은 일반적으로 변두리 지역에 거주한다.

15 You can make a circle with your thumb and _____.
당신은 엄지와 검지로 원을 만들 수 있다.

C 관계있는 것끼리 선으로 연결하시오.

16 mess • • ⓐ violent and forceful

17 greedy • • ⓑ to make something look untidy or dirty

18 narrate • • ⓒ to tell the story in a book, film, play, etc.

19 fierce • • ⓓ wanting more money, food, etc. than you need

20 peer • • ⓔ a person who is the same age as you, or who has the same type of job

Day 52

◀)) MP3 파일을 들으면서
단어를 따라 읽어보세요.

---

781 **cane**
□□
[kein]

명 지팡이 (= stick); 회초리

An old man is walking with a cane.
어떤 노인이 ▨▨▨▨▨▨ 를 짚고 걷고 있다.

---

782 **bull**
□□
[bul]

명 황소 (= ox)

The bull is a symbol of power.
▨▨▨▨▨▨ 는 힘의 상징이다.

bullfighting
투우

╋ cow 명 암소

---

783 **oppose**
□□
[əpóuz]

op[against]+pose[to put]
대항하여 두다 → 반대하다

동 반대하다, 대항하다 (= resist)

Two thirds of Americans oppose the war.
미국인들의 3분의 2가 전쟁에 ▨▨▨▨▨▨ .

╋ opposition 명 반대
↔ support 동 지지하다, 지원하다

784	**buzz** [bʌz]	图 윙윙거리다, 분주하게 돌아다니다 图 윙윙거리는 소리

buzz
[bʌz]

图 윙윙거리다, 분주하게 돌아다니다
图 윙윙거리는 소리

The bees buzzed loudly.
벌들이 시끄럽게 [   ].

---

785 **slippery**
[slípəri]

图 미끄러운

The wet road is slippery.
젖은 도로는 [   ]다.

➕ slip 图 미끄러지다 图 미끄럼

발음주의

786 **width**
[widθ]

图 폭, 너비 (= breadth)

Put your legs shoulder width apart.
어깨 [   ]로 다리를 벌리세요.

➕ widen 图 넓히다
↔ height 图 높이

---

787 **wildlife**
[wáildlàif]

图 야생 생물
图 야생 생물의

We work to protect endangered wildlife.
우리는 멸종위기에 처한 [   ]을 보호하기 위해 일한다.

---

788 **utilize**
[jú:təlàiz]

util[useful]+ize[make]
유용하게 만들다 → 활용하다

图 이용하다, 활용하다 (= use)

Let's find out how to utilize waste.
폐기물을 어떻게 [   ]지 알아보자.

➕ utility 图 유용, 공공 설비

---

789 **sensible**
[sénsəbl]

图 분별 있는 (= wise); 느낄 수 있는

He doesn't look like a sensible person.
그는 [   ] 사람처럼 보이지 않는다.

➕ sensibility 图 감각, 감수성
sensitive 图 민감한
↔ senseless 图 무감각한

790 script
[skript]

명 대본; 손으로 쓰기 (= handwriting)

The film is different from the original script.

그 영화는 원래 ▨▨▨▨ 과 다르다.

➕ scriptwriter 명 대본 작가

---

791 tangle
[tǽŋgl]

동 얽히게 하다 (= twist)

Her blond hair is all tangled.

그녀의 금발 머리가 온통 ▨▨▨▨ .

➕ tangled 형 헝클어진

---

792 straighten
[stréitn]

동 똑바르게 하다, 정리하다

Straighten your arms out in front of you.

앞쪽으로 팔을 쭉 ▨▨▨▨ .

➕ straight 형 똑바른 부 똑바로
↔ bend 동 구부리다, 굽히다

---

793 as … as possible

가능한 …하게 (= as … as one can)

Please let me know as soon as possible.

▨▨▨ 빨리 제게 알려 주세요.

---

794 feel like -ing

…하고 싶다 (= would like to)

I feel like taking a walk.

나는 산책하고 ▨▨▨▨ .

---

795 by no means

결코 … 아닌 (= never, not … at all)

We are by no means perfect.

우리는 결코 완벽하지 ▨▨▨▨ .

➕ by all means 반드시

Get More   sensible *vs.* sensitive

1 sensible 형 느낄 수 있는
a sensible temperature
체감 온도

2 sensitive 형 민감한, 예민한
a sensitive skin
민감한 피부

✎ ANSWERS p. 289

A 영어는 우리말로, 우리말은 영어로 쓰시오.

1	buzz	_____	6	대본, 손으로 쓰기	_____
2	slippery	_____	7	지팡이, 회초리	_____
3	by no means	_____	8	황소	_____
4	feel like -ing	_____	9	야생 생물, 야생 생물의	_____
5	tangle	_____	10	가능한 …하게	_____

B 빈칸에 알맞은 단어를 [보기]에서 골라 쓰시오. (필요시 형태를 고칠 것)

보기	sensible	width	oppose	utilize	straighten

11 I would _____ changing the law.
나는 그 법을 개정하는 것에 반대할 것이다.

12 _____ your back as much as possible.
가능한 많이 등을 똑바로 펴세요.

13 No _____ person would say those words.
어떤 분별 있는 사람도 그런 말을 하지는 않을 것이다.

14 First, measure the length and _____ exactly.
먼저, 길이와 너비를 정확하게 측정하세요.

15 Scientists are looking for ways to _____ the technology.
과학자들은 그 기술을 이용하기 위한 방법들을 찾고 있다.

C 설명과 일치하는 단어를 골라 ✓표시를 하시오.

16	a written text of a play, film, etc.	☐ cane	☐ script
17	a male animal of the cow family	☐ buzz	☐ bull
18	to become twisted in an untidy way	☐ tangle	☐ straighten
19	to disagree with a person's idea or plan	☐ oppose	☐ utilize
20	animals, birds and plants living in their natural environment	☐ width	☐ wildlife

Day
53

DAY 54

한 남자가 물고기에게 crumb을 주고 있었어요.

갑자기 아름다운 여인이 물 속에서 나타났어요.

사실, 그녀는 mermaid였답니다.

그는 그녀를 힘껏 hug했습니다.

쪽쪽…

🔊 MP3 파일을 들으면서
단어를 따라 읽어보세요.

---

796 harvest
[háːrvist]

몡 수확 (= crop)
동 수확하다

Autumn is the harvest time.
가을은 [   ]의 때이다.

---

797 hug
[hʌg]

몡 포옹
동 껴안다

Give your kid a big hug every night.
매일 밤 당신의 아이를 힘껏 [   ] 해 주세요.

---

798 cradle
[kréidl]

몡 요람 (= crib); 발상지 (= birthplace)

A baby is sleeping in the cradle.
한 아기가 [   ]에서 자고 있다.

cradlesong
자장가

---

799 honesty
[ánisti]

몡 정직

Honesty is the best policy.
▨▨▨▨ 이 최선의 방책이다.

➕ honest 혱 정직한
↔ dishonesty 몡 부정직

800 mermaid
[mə́:rmèid]

mer[sea]+maid[woman]
바다의 여자 → 인어

Little Mermaid
인어공주

몡 인어

There's an old legend about a mermaid.
▨▨▨▨ 에 대한 오랜 전설이 있다.

↔ merman 몡 (남자) 인어

801 fireplace
[fáiərplèis]

몡 (벽)난로

Everybody got together around the fireplace.
모두가 ▨▨▨▨ 주변에 모였다.

802 crumb
[krʌm]

몡 (빵) 부스러기, 작은 조각

He threw some crumbs for the birds.
그는 새들에게 약간의 ▨▨▨▨ 를 던져 주었다.

➕ crust 몡 빵 껍질

803 imitate
[ímətèit]

통 모방하다 (= copy), …을 본받다, 따라 하다

We should imitate the wise.
우리는 현인을 ▨▨▨▨ 야 한다.

➕ imitation 몡 모방; 모조품

804 garbage
[gá:rbidʒ]

garbage can
쓰레기통

몡 쓰레기 (= trash, junk); 음식 찌꺼기

Don't throw garbage on the street.
거리에서 ▨▨▨▨ 를 던지지 마세요.

Day
54

805 cliff
[klif]

명 절벽, 낭떠러지

He loves climbing cliffs.
그는 ⬚⬚⬚ 등반하기를 좋아한다.

➕ cliffy 형 절벽의, 가파른

806 idiom
[ídiəm]

명 숙어, 관용구

I found it difficult to understand idioms.
나는 ⬚⬚⬚를 이해하는 것이 어렵다는 것을 알았다.

807 dialect
[dáiəlèkt]

dia[between]+lect[speak]
사이의 말 → 방언

명 방언, 사투리

Each language has its own dialect.
각 언어마다 고유한 ⬚⬚⬚이 있다.

↔ standard 명 표준 형 표준의

808 hand in

…을 건네주다, 제출하다 (= submit)

You should hand in the report by tomorrow.
너는 내일까지 보고서를 ⬚⬚⬚ 한다.

809 out of control

통제 불능의, 제어할 수 없는

Sometimes things get out of control.
때때로 상황은 ⬚⬚⬚ 된다.

810 distinguish A from B

A와 B를 구별하다 (= tell A from B)

He can't distinguish the good from the bad.
그는 옳고 그름을 ⬚⬚⬚ 수 없다.

Get More imitate vs. copy

1 imitate 동 모방하다, 본받다
imitate his father
그의 아버지를 본받다

2 copy 동 (그대로) 베끼다
copy his painting
그의 그림을 베끼다

DAY 54 Wrap-up Test

✎ ANSWERS p. 289

A 영어는 우리말로, 우리말은 영어로 쓰시오.

1 hand in   _____
2 crumb   _____
3 harvest   _____
4 dialect   _____
5 mermaid   _____

6 절벽, 낭떠러지   _____
7 요람, 발상지   _____
8 제어할 수 없는   _____
9 포옹, 껴안다   _____
10 A와 B를 구별하다   _____

B 빈칸에 알맞은 단어를 [보기]에서 골라 쓰시오. (필요시 형태를 고칠 것)

| 보기 | idiom | honesty | imitate | garbage | fireplace |

11 Parrots _____ human speech.
앵무새는 인간의 말을 흉내낸다.

12 The family sat in front of the _____.
그 가족은 난로 앞에 앉았다.

13 _____ makes us understand each other.
정직함은 우리가 서로를 이해하게 만들어 준다.

14 You need to learn a lot of words and _____.
너는 많은 단어들과 숙어들을 배워야 한다.

15 The problem is that there is _____ everywhere.
문제는 어디에나 쓰레기가 있다는 것이다.

C 설명하는 단어를 [보기]에서 골라 쓰시오.

| 보기 | hug | crumb | cradle | cliff | harvest |

16 a very small piece of bread   _____
17 a large area of rock or a mountain with a very steep side   _____
18 the time when crops are cut and collected from fields   _____
19 to put your arms around someone and hold them tightly   _____
20 a small bed for a baby   _____

DAY 55

요새 감정 조절이 잘 안돼서 걱정이에요.

마음이 anger로 가득차면, volcano처럼 화를 내게 되요.

남자친구도 제가 화를 낼 때면 painful해 한답니다.

Patience를 가지도록 노력해 보세요.

◀ MP3 파일을 들으면서 단어를 따라 읽어보세요.

---

811 plow
□□ [plau]

📖 쟁기 (= plough)
🔵 (땅을) 갈다, 일구다

The ox pulled the plow through the field.
황소가 밭을 가로지르며 ▨▨▨▨▨를 끌었다.

---

812 anger
□□ [ǽŋɡər]

📖 분노, 노여움 (= rage)

Her face turned red with anger.
그녀의 얼굴은 ▨▨▨▨로 붉어졌다.

➕ angry 🔶 화난
angrily 🔵 화나서

---

813 merry
□□ [méri]

🔶 즐거운, 명랑한 (= cheerful)

Merry Christmas!
▨▨▨▨▨ 크리스마스 되세요!

➕ merrily 🔵 즐겁게, 명랑하게
↔ gloomy 🔶 우울한

merry-go-round
회전목마

---

244 Part Ⅲ 놓치기 쉬운 어휘 챙기기

814 painful
[péinfəl]

형 아픈 (= sore), 고통스러운

Learning is often a painful experience.
배움은 종종 ▨▨▨▨ 경험이다.

+ pain 명 고통
  painfully 부 고통스럽게
↔ painless 형 아프지 않은, 고통 없는

---

815 naked
[néikid]

형 벌거벗은 (= bare); 적나라한

Clothing can protect the naked human body.
옷은 ▨▨▨▨ 인간의 몸을 보호할 수 있다.

↔ dressed 형 옷을 입은

발음주의

816 volcano
[vɑlkéinou]

명 화산

The volcano may erupt at any time.
▨▨▨▨은 언제든지 폭발할 수도 있다.

+ volcanic 형 화산의

---

817 pastor
[pǽstər]

명 사제, 목사 (= minister)

His father was a pastor of the church.
그의 아버지는 그 교회의 ▨▨▨▨ 였다.

---

818 pill
[pil]

명 알약 (= tablet)

You should take this pill after meals.
너는 식후에 이 ▨▨▨▨ 을 복용해야 한다.

+ sleeping pill 수면제

---

819 register
[rédʒistər]

cash register
금전 등록기

동 등록하다 (= record)
명 등록부

Follow these steps to register for classes.
강좌에 ▨▨▨▨ 위해서 이 단계를 따르세요.

+ registration 명 등록
  registered 형 등록한; 등기의

Day
55

820 patience
□□ [péiʃəns]

명 인내, 참을성 (= tolerance)

All you need is patience and practice.
당신에게 필요한 것은 〔〕〔〕 와 연습이다.

➕ patient 형 참을성 있는
↔ impatience 명 참을성 없음

발음주의

821 psychology
□□ [saikálədʒi]

psycho[spirit]+logy[study of]
정신에 대한 공부 → 심리학

명 심리학, 심리

I majored in psychology in college.
나는 대학에서 〔〕〔〕 을 전공했다.

➕ psychologist 명 심리학자

822 miserable
□□ [mízərəbl]

형 비참한, 불쌍한 (= unhappy, depressed)

Pain can make your life miserable.
고통은 당신의 삶을 〔〕〔〕 만들 수 있다.

➕ misery 명 비참함
↔ happy 형 행복한

823 in case of
□□

…의 경우에는

In case of emergency, please call 119.
비상 〔〕〔〕 119로 전화하세요.

824 that is
□□

즉, 다시 말하면 (= in other words)

We are all in the same boat, that is, the world.
우리는 모두 같은 배 안, 〔〕〔〕, 같은 세상에 있다.

825 manage to v.
□□

가까스로 …하다, 그럭저럭 …해 내다

I managed to finish the work on time.
나는 〔〕〔〕 제시간에 그 일을 마쳤다.

Get More   miserable의 다양한 뜻

1 형 비참한, 불쌍한
a **miserable** sight
비참한 광경

2 형 형편없는, 초라한
a **miserable** salary
형편없는 급료

3 형 비열한
a **miserable** coward
비열한 겁쟁이

ANSWERS p. 290

A 영어는 우리말로, 우리말은 영어로 쓰시오.

1 pastor _____
2 patience _____
3 in case of _____
4 miserable _____
5 painful _____

6 벌거벗은, 적나라한 _____
7 즐거운, 명랑한 _____
8 즉, 다시 말하면 _____
9 그럭저럭 …해 내다 _____
10 쟁기, (땅을) 갈다 _____

B 빈칸에 알맞은 단어를 [보기]에서 골라 쓰시오. (필요시 형태를 고칠 것)

보기	psychology	anger	volcano	register	pill

11 The good _____ are bitter to swallow.
좋은 약들은 입에 쓰다.

12 _____ and love are opposite emotions.
분노와 사랑은 상반된 감정들이다.

13 Ash and lava erupted from the _____.
재와 용암이 화산에서 분출되었다.

14 Applicants are required to _____ in person.
지원자들은 직접 등록해야 한다.

15 _____ is the scientific study of the mind and behavior.
심리학은 정신과 행동에 대한 과학적인 연구이다.

C 주어진 단어의 유의어와 반의어를 찾아 연결하시오.

〈유의어〉 〈반의어〉

16 merry • • ⓐ bare • • ㉠ painless
17 painful • • ⓑ sore • • ㉡ happy
18 naked • • ⓒ cheerful • • ㉢ dressed
19 patience • • ⓓ depressed • • ㉣ impatience
20 miserable • • ⓔ tolerance • • ㉤ gloomy

Day **55**

DAY 51~55) Review Test

✏ ANSWERS p. 290

다음 우리말에 맞게 빈칸에 주어진 철자로 시작하는 단어를 쓰시오.

DAY 51

1 용감한 행동   a brave d_____
2 천문학의 권위자   an authority on a_____
3 토착 부족   a native t_____
4 왼손잡이 투수   a l_____ pitcher
5 가사일   household c_____
6 사춘기 초기   early a_____

DAY 52

7 교우 관계   p_____ relationships
8 원의 지름   the d_____ of a circle
9 천문대   an astronomical o_____
10 자연을 보존하다   p_____ nature
11 맹수   a f_____ animal
12 가장 아래층   the bottom l_____

DAY 53

13 지각 있는 사람   a s_____ person
14 자원을 활용하다   u_____ resources
15 강하게 반대하다   o_____ strongly
16 강의 너비   a w_____ of a river
17 미끄러운 표면   a s_____ surface
18 야생 생물 보호지역   a w_____ sanctuary

DAY 54

19 지역 방언, 사투리   a local d_____
20 풍성한 수확, 풍작   a rich h_____
21 절벽에서 떨어지다   fall off a c_____
22 난로의 온기   warmth of the f_____
23 쓰레기를 수거하다   collect the g_____
24 서양 문화를 모방하다   i_____ Western culture

DAY 55

25 일반 심리학   general p_____
26 출생 신고를 하다   r_____ a birth
27 화나서 소리치다   shout with a_____
28 아픈 상처   a p_____ wound
29 수면제   a sleeping p_____
30 해저 화산   a submarine v_____

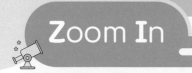

Zoom In

어법에 유의해야 할 어휘 Ⅱ

자동사로 생각하기 쉬운 타동사

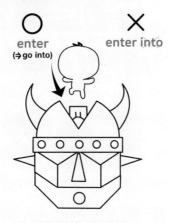

○ enter
(→ go into)

✕ enter into

affect ···에 영향을 미치다	例 Supply and demand **affect** prices. (○) Supply and demand **affect on** prices. (×) 수요와 공급은 가격에 영향을 끼친다.
discuss 논의하다, 토론하다	例 We should **discuss** this problem further. (○) We should **discuss about** this problem further. (×) 우리는 이 문제를 더 논의해 봐야 한다.
enter ···에 들어가다	例 He **entered** the room after a few minutes. (○) He **entered into** the room after a few minutes. (×) 그는 몇 분 후에 방으로 들어왔다.
marry ···와 결혼하다	例 The actress will **marry** a rich man. (○) The actress will **marry with** a rich man. (×) 그 여배우는 부자와 결혼할 것이다. *cf.* The actress will **get married to** a rich man. (○)
reach ···에 도착하다	例 The train will **reach** Seoul within ten minutes. (○) The train will **reach to** Seoul within ten minutes. (×) 기차가 10분 이내에 서울에 도착할 것이다. *cf.* The train will **arrive at** Seoul within ten minutes. (○)

DAY 56

난 어제 submarine을 타고 바닷속 구경을 했어.

그런데 갑자기 눈앞에 커다란 turtle이 나타난 거야!

가이드가 안전하다는 방송을 해줬어.

여러분은 안전합니다.

정말 terrific한 경험이었어~

오~

◀) MP3 파일을 들으면서
단어를 따라 읽어보세요.

---

826 **shiny**
[ʃáini]

혱 빛나는 (= bright)

They have shiny eyes like cats.
그들은 고양이처럼 ▨▨▨▨▨ 눈을 가지고 있다.

✚ shine 통 빛나다, 비치다

---

827 **so-so**
[sóusòu]

혱 그저 그런

Everyone said the movie was so-so.
모두가 그 영화는 ▨▨▨▨ 다고 말했다.

---

828 **tray**
[trei]

ashtray
재떨이

몡 쟁반; 서류함

Mom served tea on a tray.
엄마는 ▨▨▨▨▨ 에 차를 내왔다.

---

829 turtle
[tə́:rtl]

명 (바다) 거북

A turtle has a hard shell on its back.
░░░░░ 은 등에 딱딱한 껍데기를 가지고 있다.

➕ tortoise 명 (민물) 거북

830 sufficient
[səfíʃənt]

형 충분한 (= enough, adequate)

There is sufficient food to feed everyone.
모두가 먹을 만큼 ░░░░░ 음식이 있다.

➕ sufficiency 명 충분
↔ insufficient 형 불충분한

831 teammate
[tí:mmèit]

명 팀 동료

He married one of his teammates.
그는 같은 ░░░░░ 중 한 사람과 결혼했다.

832 submarine
[sʌ̀bmərí:n]

sub[under]+marine[sea]
바다 밑의 → 해저의

명 잠수함
형 해저의

A submarine is an underwater ship.
░░░░░ 은 수중용 배이다.

833 relieve
[rilí:v]

동 덜다, 경감하다 (= relax)

Taking a pill will relieve the pain for a while.
약을 복용하는 것이 한동안 고통을 ░░░░░ 것이다.

➕ relief 명 경감, 안심
   relieved 형 안심한
↔ intensify 동 강화하다

발음주의

834 terrific
[tərífik]

형 굉장한 (= excellent); 무시무시한

I don't think it's such a terrific idea.
나는 그것이 그렇게 ░░░░░ 생각이라고 생각하지 않는다.

➕ terror 명 공포, 테러
   terrify 동 무섭게 하다

Day 56

835 scrape
[skreip]

图 문지르다, 긁어내다 (= scratch)

Don't scrape the sticker off with a knife.
칼로 스티커를 ▨▨▨▨ 말아라.

➕ scraper 圆 긁는 기구

836 tender
[téndər]

圈 부드러운 (= soft), 연한; 어린

The tender leaves can be eaten raw.
▨▨▨▨ 잎사귀는 날 것으로 먹을 수 있다.

➕ tenderly 倶 상냥하게
↔ tough 圈 거친

강세주의

837 translate
[trænsléit]

trans[across]+late[carry]
가로질러 옮기다 → 번역하다

图 번역하다 (= interpret)

The book has been translated into several languages.
그 책은 여러 언어로 ▨▨▨▨.

➕ translation 圆 번역

838 break out

발생하다, 발발하다 (= occur, happen)

A fire broke out last night.
어젯밤에 화재가 ▨▨▨▨.

839 be fond of

⋯을 좋아하다

She was fond of swimming.
그녀는 수영하기를 ▨▨▨▨.

840 be anxious for

⋯을 갈망하다 (= be eager for, long for)

He is anxious for a promotion.
그는 승진을 간절히 ▨▨▨▨.

Get More tender의 다양한 뜻

1 圈 부드러운, 연한
tender meat
연한 고기

2 圈 어린, 미숙한
a **tender** age
어린 나이

3 圈 약한
a **tender** spot
약점

✎ ANSWERS p. 290

A 영어는 우리말로, 우리말은 영어로 쓰시오.

1	break out	_____	6	(바다) 거북	_____
2	relieve	_____	7	팀 동료	_____
3	so-so	_____	8	쟁반, 서류함	_____
4	submarine	_____	9	문지르다, 긁어내다	_____
5	be anxious for	_____	10	…을 좋아하다	_____

B 빈칸에 알맞은 단어를 [보기]에서 골라 쓰시오. (필요시 형태를 고칠 것)

보기	terrific	sufficient	tender	shiny	translate

11 _____ meat is easy to chew.

부드러운 고기는 씹기 쉽다.

12 A glass of milk is not _____ for breakfast.

우유 한 잔은 아침 식사로 충분하지 않다.

13 The lights look like _____ stars in the sky.

그 불빛들은 하늘에 빛나는 별처럼 보인다.

14 The movie was _____ and I really enjoyed it.

영화는 훌륭했고 나는 그 영화를 정말 재미있게 보았다.

15 He _____ the poem into Korean for his students.

그는 학생들을 위해 그 시를 영어로 번역했다.

C 설명하는 단어를 [보기]에서 골라 쓰시오.

보기	submarine	tray	relieve	teammate	so-so

16 not particularly good or bad _____

17 a member of the same team or group _____

18 a type of ship that can travel underwater _____

19 to remove or reduce an unpleasant feeling or pain _____

20 a flat piece of wood, metal or plastic used for carrying things _____

Day
56

DAY 57

저희 할머니께서는 작년에 pass away하셨어요.

할머니와의 기억은 제가 가장 cherish하는 것이랍니다.

할머니는 afterlife를 믿으셨어요.

언젠가 천국에서 할머니를 다시 만날 수 있다고 믿어요!

◀) MP3 파일을 들으면서
단어를 따라 읽어보세요.

---

841 **chopstick**
[tʃápstìk]

명 젓가락

You're very good at using chopsticks.
당신은 |||||||| 사용을 참 잘하시네요.

---

842 **whale**
[*h*weil]

명 고래

Whales are mammals like humans.
|||||||| 는 인간처럼 포유동물이다.

whaler
포경선

---

843 **well-done**
[wéldʌ́n]

형 잘 익은 (= cooked); 잘 한

I'd like to have my steak well-done.
스테이크를 |||||||| 주십시오.

➕ underdone 형 설익은
overdone 형 너무 익힌

---

844 alien
[éiljən]

형 외국의 (= foreign)
명 외국인, 외계인

He died in an alien land.
그는 ▨▨▨▨ 땅에서 죽었다.

↔ native 형 원주민의

---

845 curse
[kəːrs]

명 저주
동 저주하다

She died young because of the curse.
그녀는 ▨▨▨▨ 때문에 일찍 죽었다.

➕ cursed 형 저주받은
↔ blessing 명 축복

---

846 deck
[dek]

명 갑판

The captain quickly ran up to the deck.
선장은 재빠르게 ▨▨▨▨으로 뛰어 올라갔다.

---

847 contrary
[kántreri]

contra[against]+ary
반대하여 → 반대의

형 반대의 (= opposite)
명 정반대

The result was contrary to their plan.
그 결과는 그들의 계획과는 ▨▨▨▨였다.

➕ contrarily 부 반대로

---

848 afterlife
[ǽftərlàif]

명 내세, 사후

Ancient Egyptians believed in the afterlife.
고대 이집트인들은 ▨▨▨▨를 믿었다.

➕ life 명 인생

---

849 brow
[brau]

명 눈썹 (= eyebrow); 이마 (= forehead)

He has brown eyes and dark brows.
그는 갈색 눈동자와 짙은 ▨▨▨▨을 가지고 있다.

➕ eyelash 명 속눈썹

thick eyebrows
짙은 눈썹

Day
57

850 dye
[dai]

dye – dyed – dyed

동 염색하다
명 염료

Students are not allowed to dye their hair.
학생들이 머리를 ▒▒▒▒▒ 것은 허용되지 않는다.

➕ dyeing 명 염색(법)

---

851 unify
[júːnifài]

uni[one]+fy[make]
하나로 만들다 → 통일하다

동 통합하다, 통일하다 (= unite)

The new leader hopes to unify the country.
새 지도자는 그 나라를 ▒▒▒▒▒▒를 바란다.

➕ unification 명 통합, 통일
↔ divide 동 나누다

---

852 cherish
[tʃériʃ]

동 소중히 하다 (= care for), 품다

I still cherish the memory of that day.
나는 아직도 그 날의 기억을 ▒▒▒▒▒.

↔ abandon 동 버리다, 포기하다

---

853 pass away

죽다 (= die), 가버리다

His grandmother passed away last year.
그의 할머니는 작년에 ▒▒▒▒▒.

---

854 refer to *n.*

…을 언급하다, 나타내다

He didn't refer to the issue at all.
그는 그 문제에 대해 전혀 ▒▒▒▒▒ 않았다.

---

855 rob A of B

A에게서 B를 빼앗다[훔치다] (= deprive A of B)

Her father's death robbed her of her happiness.
그녀의 아버지의 죽음은 그녀에게서 행복을 ▒▒▒▒▒.

 Get More　　dye *vs.* die

1 dye [dai] 동 염색하다
　dye hair 머리를 염색하다

2 die [dai] 동 죽다
　die of disease 병으로 죽다

✎ ANSWERS p. 290

A 영어는 우리말로, 우리말은 영어로 쓰시오.

1	contrary	_____	6	눈썹, 이마	_____
2	cherish	_____	7	외국의, 외국인, 외계인	_____
3	unify	_____	8	내세, 사후	_____
4	refer to	_____	9	저주, 저주하다	_____
5	rob A of B	_____	10	죽다, 가버리다	_____

B 빈칸에 알맞은 단어를 [보기]에서 골라 쓰시오. (필요시 형태를 고칠 것)

보기	dye	deck	chopstick	well-done	whale

11 The _____ lives in the ocean.
고래는 바다 속에 산다.

12 Make sure the beans are _____.
콩이 잘 익었는지 확인하라.

13 East Asians use _____ to eat rice.
동아시아인들은 밥을 먹기 위해서 젓가락을 사용한다.

14 She _____ her hair red.
그녀는 머리를 빨갛게 염색했다.

15 Some sailors stood on the _____ of the ship.
몇몇 선원들은 배의 갑판에 서 있었다.

C 설명하는 단어를 [보기]에서 골라 쓰시오.

보기	brow	cherish	unify	contrary	alien

16 totally different and opposed to each other _____

17 to make into a single unit _____

18 belonging to another country or race _____

19 the part of a face above eyes and below hair _____

20 to love someone or something very much and take care _____
of them well

Day 57

DAY 58

저는 성인이 된 후 멋진 직업을 가지고 싶습니다.

제가 직업으로 택할 수 있는 option은 여러 가지가 있습니다.

지금은 gender에 구애받지 않고 여러 가지 일을 할 수 있으니까요.

◀ MP3 파일을 들으면서 단어를 따라 읽어보세요.

---

856 **envy**
　　[énvi]

툉 부러워하다
몡 질투 (= jealousy)

People may envy your success.
사람들이 당신의 성공을 〖░░░░〗지도 모른다.

➕ envious 혱 부러워하는

---

857 **extract**
　　[ikstrǽkt]

ex[out]+tract[to draw]
밖으로 끌어내다 → 뽑다

lemon extract
레몬 추출물

툉 뽑다, 추출하다 (= pull out)
몡 뽑아낸 것, 추출물

He gently extracted the thorn.
그는 천천히 가시를 〖░░░░〗.

➕ extraction 몡 뽑아냄, 추출
↔ add 툉 더하다

---

858 **maze**
　　[meiz]

몡 미로, 미궁

We got lost in the maze.
우리는 〖░░░░〗에서 길을 잃었다.

859 option
[ápʃən]

⑲ 선택, 선택권 (= choice)

Shoppers often consider several options.
소비자들은 종종 여러 가지 ░░░░ 을 고려한다.

➕ optional ⑱ 선택적인

---

860 heatstroke
[híːtstròuk]

⑲ 일사병, 열사병

It was hot enough to cause heatstroke.
░░░░ 을 일으킬 만큼 날씨가 아주 더웠다.

---

861 invade
[invéid]

⑧ 침략하다 (= attack)

North Korea invaded South Korea in 1950.
북한은 1950년에 남한을 ░░░░ .

➕ invasion ⑲ 침략
   invader ⑲ 침략자

---

862 irregular
[irégjulər]

⑱ 불규칙한 (= random)

They eat irregular meals.
그들은 ░░░░ 식사를 한다.

➕ irregularly ⑨ 불규칙하게
↔ regular ⑱ 규칙적인

---

863 gender
[dʒéndər]

⑲ 성(性), 성별

Musical ability is not related to gender.
음악적 재능은 ░░░░ 과 연관이 없다.

---

864 feminine
[fémənin]

⑱ 여성의 (= female), 여성스러운

Pink is considered a feminine color.
분홍색은 ░░░░ 색으로 여겨진다.

femin[woman]+ine[like]
여성 같은 → 여성의

feminine dress
부인복

➕ femininity ⑲ 여성다움
   feminism ⑲ 페미니즘, 남녀평등주의
   feminist ⑲ 페미니스트, 남녀평등주의자

Day
58

865 essence
[ésns]

명 본질, 정수 (= nature)

What is the essence of beauty?
아름다움의 ▨▨▨▨ 은 무엇인가?

➕ essential 형 본질적인

866 globalize
[glóubəlàiz]

동 세계화하다

Many firms try to globalize their brands.
많은 회사들이 그들의 상표를 ▨▨▨▨ 위해 노력한다.

➕ global 형 세계적인
globalization 명 세계화

867 insistent
[insístənt]

형 고집하는, 끈질긴 (= persistent)

She is very insistent on this matter.
그녀는 이 문제에 대해 매우 ▨▨▨▨ 하다.

➕ insist 동 주장하다, 고집하다
insistence 명 주장

868 A as well as B

B 뿐만 아니라 A도 (= not only B but also A)

He was a scientist as well as a painter.
그는 화가일 ▨▨▨▨ 과학자였다.

869 be satisfied with

···에 만족하다

I'm satisfied with the result.
나는 그 결과에 ▨▨▨▨ .

870 regardless of

···에도 불구하고, ···에 관계없이

Everyone can work regardless of age.
모든 사람이 나이와 ▨▨▨▨ 일할 수 있다.

Get More insistent의 다양한 뜻

1 형 고집하는, 끈질긴
an **insistent** demand
끈질긴 요구

2 형 눈에 띄는, 뚜렷한
an **insistent** tone
뛰어난 음색

🖉 ANSWERS p. 291

A 영어는 우리말로, 우리말은 영어로 쓰시오.

1	globalize	_____	6	일사병, 열사병	_____
2	feminine	_____	7	침략하다	_____
3	essence	_____	8	부러워하다, 질투	_____
4	insistent	_____	9	…에 만족하다	_____
5	regardless of	_____	10	B 뿐만 아니라 A도	_____

B 빈칸에 알맞은 단어를 [보기]에서 골라 쓰시오. (필요시 형태를 고칠 것)

보기	option	extract	irregular	maze	gender

11 The heartbeat is _____ and rapid.
심장박동이 불규칙하고 빠르다.

12 The _____ is made up of several rooms.
그 미로는 여러 개의 방으로 이루어져 있다.

13 The windmills were used to _____ oil from seeds.
풍차는 씨에서 기름을 추출하는 데 사용되었다.

14 There are two _____ in the world: male and female.
세상에는 남성과 여성, 이렇게 두 가지 성별이 있다.

15 Whatever you do in life, you always have two _____.
당신이 인생에서 무엇을 하든지 항상 두 가지 선택권이 있다.

C 괄호 안에서 알맞은 말을 골라 빈칸에 쓰시오.

16 (invasion / invade)
ⓐ _____ the territory
ⓑ foreign _____

17 (insistence / insistent)
ⓐ a strong _____
ⓑ _____ claims

18 (essential / essence)
ⓐ the _____ of friendship
ⓑ _____ goods

19 (envy / envious)
ⓐ with _____ eyes
ⓑ an object of _____

20 (globalize / global)
ⓐ _____ warming
ⓑ _____ the auto industry

Day 58

DAY 59

저는 remote한 곳에 있는
마을에 가게 되었어요.
그곳에는 tomb이 많이 있었어요.
갑자기 tomb 뒤에서 widow귀신이
나타났어요!
서방님~
꽥
그건 현실이 아니라
nightmare였어요…

MP3 파일을 들으면서
단어를 따라 읽어보세요.

---

871 □□ **participate**
[pɑːrtísəpèit]

동 참여하다, 참가하다 (= join)

He **participated** in the discussion.
그는 그 토론에 ______.

+ participation 명 참가

---

872 □□ **tasty**
[téisti]

형 맛있는 (= delicious)

All the food was very **tasty**.
모든 음식이 정말 ______었다.

+ taste 명 맛 동 맛을 보다

---

873 □□ **skip**
[skip]

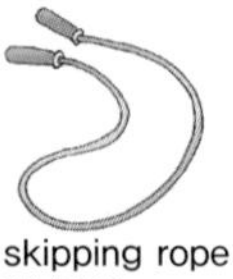

skipping rope
줄넘기 줄

동 뛰어넘다, 건너뛰다 (= hop)

Don't **skip** breakfast.
아침식사를 ______ 마세요.

+ skipping 명 줄넘기

874 saint
[séint]

명 성인, 성자

She lived and died as a saint.

그녀는 [   ]처럼 살다가 죽었다.

---

875 stressful
[strésfəl]

형 긴장[스트레스]이 많은 (= tense)

I've just had a long and stressful day.

저는 오늘 길고 [   ] 하루를 보냈어요.

➕ stress 명 강조, 스트레스
↔ relaxed 형 긴장을 푼

---

876 vet
[vet]

명 수의사 (= veterinarian)

My little brother took his puppy to the vet.

내 남동생은 그의 강아지를 [   ]에게 데려갔다.

발음주의

877 tomb
[tuːm]

명 무덤 (= grave)

The emperor built a great tomb for himself.

그 황제는 자신을 위해 거대한 [   ]을 만들었다.

---

878 nightmare
[náitmɛ̀ər]

night+mare[goblin]
밤의 마귀 → 악몽

명 악몽

I had a nightmare last night.

나는 어젯밤 [   ]을 꿨다.

---

879 nun
[nʌn]

nunnery
수녀원

명 수녀

She became a nun after her son's death.

그녀는 아들이 죽은 후에 [   ]가 되었다.

↔ monk 명 수도사

Day **59**

880 widow
[wídou]

명 과부

The widow lived alone in a small house.
그 █████ 는 작은 집에서 홀로 살았다.

↔ widower 명 홀아비

881 remote
[rimóut]

re[away]+mote[move]
떨어져서 움직이는 → 먼

형 외진, 먼 (= distant); 원격의

He enjoyed a simple life in the remote countryside.
그는 █████ 시골에서 단순한 삶을 즐겼다.

↔ nearby 형 가까운

882 symbolize
[símbəlàiz]

동 상징하다 (= stand for)

The color white is said to symbolize purity.
흰색은 순결함을 █████ 고 한다.

➕ symbol 명 상징, 기호

883 apply for

···에 지원하다, 신청하다

No one applied for the job.
아무도 그 일에 █████ 지 않았다.

884 long for

···을 갈망하다 (= be anxious for)

We long for peace.
우리는 평화를 █████ .

885 in accordance with

···에 따라서, ···와 일치하여 (= according to)

Prepare the ingredients in accordance with the recipe.
요리법에 █████ 재료들을 준비하시오.

Get More remote의 다양한 뜻

1 형 먼, 멀리 떨어진
remote from the cities
도시에서 멀리 떨어진

2 형 외딴
remote areas
외진 지역

3 형 원격 조작의
remote control
원격 조작

DAY 59 Wrap-up Test

✐ ANSWERS p. 291

Ⓐ 영어는 우리말로, 우리말은 영어로 쓰시오.

1	remote	_____	6	…와 일치하여 _____
2	saint	_____	7	수의사 _____
3	long for	_____	8	수녀 _____
4	nightmare	_____	9	…에 지원하다, 신청하다 _____
5	tasty	_____	10	뛰어넘다, 건너뛰다 _____

Ⓑ 빈칸에 알맞은 단어를 [보기]에서 골라 쓰시오. (필요시 형태를 고칠 것)

보기	stressful	participate	widow	symbolize	tomb

11 A dove _____ peace.
비둘기는 평화를 상징한다.

12 It can be very _____ to be stuck in a traffic jam.
교통 체증에 갇히는 것은 많은 스트레스를 줄 수 있다.

13 Later, he married a rich _____.
나중에, 그는 어느 부유한 미망인과 결혼했다.

14 The Taj Mahal is a beautiful _____ which attracts the tourists.
타지마할은 관광객을 끌어 모으는 아름다운 무덤이다.

15 All the students have to _____ in the survey.
모든 학생들은 설문조사에 참여해야 한다.

Ⓒ 관계있는 것끼리 선으로 연결하시오.

16 tasty   •
17 saint   •
18 skip   •
19 remote   •
20 nightmare   •

• ⓐ far away in distance, time or relation
• ⓑ a dream that is very frightening
• ⓒ to move forward with quick steps and jumps
• ⓓ having a strong and pleasant flavor
• ⓔ someone who has been officially honored by a Christian church

Day
59

DAY 60

제가 했던 voluntary 활동에 대해 말씀드릴게요.

그건 homeless에게 집을 지어주는 일이었습니다.

아휴~ 고맙습니다.

이 활동을 하는 단체를 Habitat for Humanity라고 하죠.

 MP3 파일을 들으면서 단어를 따라 읽어보세요.

886
voluntary
[váləntèri]

형 자발적인 (= willing)

His act was voluntary.
그의 행동은 ▨▨▨ 다.

➕ voluntarily 부 자발적으로
↔ involuntary 형 본의 아닌

887
bark
[bɑːrk]

동 짖다
명 나무껍질

The dog barked loudly at the neighbors.
그 개는 이웃을 보고 크게 ▨▨▨.

➕ barking 형 짖는

888
beast
[biːst]

Beauty and the Beast
미녀와 야수

명 짐승 (= animal)

The lion is a fierce beast.
사자는 사나운 ▨▨▨ 이다.

---

889 wipe
[waip]

통 닦다 (= clean)

Can you wipe off the table?
탁자 좀 ▒▒▒▒ 줄래?

➕ wiper 명 닦는 사람; 닦개

890 quarrel
[kwɔ́:rəl]

통 싸우다 (= argue)
명 말다툼

My cousins always quarrel with each other.
내 사촌들은 항상 서로 ▒▒▒▒.

➕ quarrelsome 형 다투기 좋아하는

891 homeless
[hóumlis]

home+less[without]
집이 없음 → 집 없는

형 집 없는

They built houses for the homeless.
그들은 ▒▒▒▒ 사람들을 위해 집을 지어 주었다.

➕ the homeless 노숙자들

발음주의

892 habitat
[hǽbitæ̀t]

명 서식지, 거주지 (= home)

The jungle is the habitat of monkeys.
정글은 원숭이들의 ▒▒▒▒ 이다.

➕ habitant 명 주민, 거주자

893 drown
[draun]

통 익사하다; 물에 빠지다

The child drowned in the lake yesterday.
어제 호수에서 그 아이가 ▒▒▒▒.

894 worsen
[wə́:rsn]

통 악화되다, 악화시키다

His cough seemed to worsen day by day.
그의 기침은 날이 갈수록 더 ▒▒▒▒ 것 같았다.

➕ worse 형 더 나쁜, 악화된
↔ improve 통 개선하다

Day 60

895 humane
[hju:méin]

휑 자비로운, 인간적인 (= kind)

Helping others in distress is a humane act.
곤경에 처한 사람들을 돕는 것은 〔   〕 행동이다.

➕ human 휑 인간의 몡 인간
↔ cruel 휑 무자비한

896 appliance
[əpláiəns]

kitchen appliances
주방용품

몡 기구 (= device), 제품

A refrigerator is a necessary appliance in your kitchen.
냉장고는 당신 부엌에 필수적인 〔   〕이다.

➕ apply 통 쓰다, 적용하다

897 ecosystem
[ékousìstəm]

eco[nature]+system
자연 체계 → 생태계

몡 생태계

Global warming affects ecosystems.
지구 온난화는 〔   〕에 영향을 끼친다.

898 be accustomed to -ing

…에 익숙하다 (= be used to -ing, be familiar with)

I'm accustomed to getting up early.
나는 일찍 일어나는 데 〔   〕.

899 on the contrary

그와 반대로 (= to the contrary)

This war is not over. On the contrary, it's just beginning.
이 전쟁은 끝나지 않았다. 〔   〕, 그것은 막 시작되었을 뿐이다.

900 put up with

…을 참다, 견디다 (= bear, endure)

I can't put up with her rude behavior.
나는 그녀의 무례한 행동을 〔   〕 수 없다.

 Get More bark *vs.* howl

1 **bark** 통 짖다 (일반적임)
A dog **barks**. 개가 짖는다.

2 **howl** 통 (긴소리로) 울부짖다
A wolf **howls**. 늑대가 운다.

Wrap-up **T**est

✎ ANSWERS p. 291

A 영어는 우리말로, 우리말은 영어로 쓰시오.

1	drown	_____	6	짖다, 나무껍질	_____
2	appliance	_____	7	서식지, 거주지	_____
3	voluntary	_____	8	그와 반대로	_____
4	put up with	_____	9	싸우다, 말다툼	_____
5	beast	_____	10	…에 익숙하다	_____

B 빈칸에 알맞은 단어를 [보기]에서 골라 쓰시오. (필요시 형태를 고칠 것)

보기	worsen	ecosystem	wipe	homeless	humane

11 All plants and animals live in a(n) _____.
모든 식물과 동물은 생태계에서 산다.

12 The volunteers had to _____ the floor first.
자원봉사자들은 먼저 바닥을 닦아야 했다.

13 The old man lived in a shelter for the _____.
그 노인은 노숙자들을 위한 쉼터에 살았다.

14 Some people think the death penalty is not _____.
어떤 사람들은 사형 제도가 인간적이지 않다고 생각한다.

15 Experts warn that the problem is likely to _____ in the future.
전문가들은 그 문제가 미래에는 더 악화될 것이라고 경고한다.

C 설명하는 단어를 [보기]에서 골라 쓰시오.

보기	habitat	voluntary	quarrel	beast	appliance

16 an angry argument between people or groups _____

17 an animal, especially a large or wild one _____

18 done willingly, not because you are forced _____

19 the place where an animal or plant is normally found _____

20 a device or machine that is used in the home, such as _____
a refrigerator or washing machine

✎ ANSWERS p. 291

다음 우리말에 맞게 빈칸에 주어진 철자로 시작하는 단어를 쓰시오.

DAY 56			
	1	굉장한 파티	a t_____ party
	2	충분한 양	s_____ quantity
	3	바다 거북	a sea t_____
	4	책을 번역하다	t_____ a book
	5	스트레스를 완화하다	r_____ stress
	6	유리 쟁반	a glass t_____

DAY 57			
	7	사실과 반대로	c_____ to the fact
	8	수저	spoon and c_____
	9	외계 침공	a_____ invasion
	10	희망을 품다	c_____ the hope
	11	가난이라는 저주	the c_____ of poverty
	12	검게 염색하다	d_____ black

DAY 58			
	13	성별차이	g_____ difference
	14	시의 진수	the e_____ of poetry
	15	불규칙 동사	an i_____ verb
	16	일사병에 걸리다	suffer from h_____
	17	여성적인 매력	f_____ attraction
	18	즙을 짜내다	e_____ the juice

DAY 59			
	19	띄엄띄엄 읽다	s_____ in reading
	20	스트레스가 많은 일	a s_____ job
	21	올림픽에 참가하다	p_____ in the Olympics
	22	전쟁 미망인	a war w_____
	23	멀리 떨어진 별들	r_____ stars
	24	선조 대대의 묘	a family t_____

DAY 60			
	25	편리한 기구	a convenient a_____
	26	상황을 악화시키다	w_____ the situation
	27	자비심	h_____ feelings
	28	봉사 활동	v_____ service
	29	야수	a wild b_____
	30	소란스런 언쟁	a loud q_____

Zoom In

어법에 유의해야 할 어휘 Ⅲ

We are the police.

bad news

1. 복수로 취급하는 명사

police
경찰

예 The **police are** chasing the thief.
경찰이 도둑을 쫓고 있다.

goods
상품

예 The **goods are** on display.
상품이 진열되어 있다.

cattle
소, 가축

예 **Cattle live** on grass.
소는 풀을 먹고 산다.

clothes
옷

예 Fine **clothes make** the man.
좋은 옷이 사람을 만든다.

2. 단수로 취급하는 명사

news
뉴스, 소식

예 No **news is** good news.
무소식이 희소식이다.

clothing
의류

예 Warm **clothing protects** the body from the cold.
따뜻한 옷은 추위로부터 몸을 보호해 준다.

mathematics
수학

예 **Mathematics teaches** students how to think logically.
수학은 학생들에게 논리적으로 생각하는 법을 가르친다.
cf. physics 명 물리학
politics 명 정치학
economics 명 경제학

ANSWERS

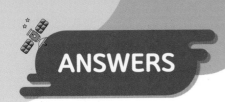

ANSWERS

DAY 01 **Wrap-up Test** p. 11

A 1 성공 2 …에 동의하다 3 있음직한, 가능한 4 일치하다, 조화시키다, 일치 5 근대의, 현대적인 6 apply oneself to -ing 7 quite 8 army 9 unite 10 a couple of

B 11 depend 12 unite 13 truth 14 expect 15 abroad

C 16 success 17 probable 18 accord 19 army 20 expect

DAY 02 **Wrap-up Test** p. 15

A 1 편리한 2 어려움, 곤경 3 군대, 무리 4 질병 5 …을 계속하다 6 negative 7 bit 8 get along with 9 make an appointment 10 honor

B 11 nearly 12 disease 13 female 14 honor 15 concentrate

C 16 countryside 17 concentrate 18 fortunate 19 difficulty 20 negative

DAY 03 **Wrap-up Test** p. 19

A 1 기본적인, 기초의 2 …에게 ~을 제공하다 3 …에 만족하다 4 알아보다, 인식하다 5 반대의 6 believe in 7 settle 8 protest 9 advance 10 site

B 11 basic 12 career 13 protested 14 therefore 15 audience

C 16 ⓑ 17 ⓓ 18 ⓒ 19 ⓐ 20 ⓔ

DAY 04 **Wrap-up Test** p. 23

A 1 경쟁하다, 겨루다 2 결정하다, 결심하다 3 나타나다 4 공포, 놀람 5 실수하다 6 doubt 7 govern 8 look down on 9 general 10 gain

B 11 explore 12 elected 13 effective 14 goods 15 grants

C 16 gain 17 determine 18 fright 19 govern 20 compete

DAY 05 Wrap-up Test

p. 27

Ⓐ 1 노예　2 그렇지 않으면, 다른 방법으로　3 때때로, 가끔　4 …을 제거하다　5 인구, 주민
6 consist in　7 pride　8 recent　9 sail　10 refer

Ⓑ 11 realistic　12 prefer　13 Replace　14 law　15 increase

Ⓒ 16 sail　17 refer　18 pride　19 slave　20 population

DAY 01~05 Review Test

p. 28

1 success　2 abroad　3 modern　4 army　5 truth　6 probable
7 female　8 disease　9 negative　10 bit　11 difficulty　12 honor
13 opposite　14 advance　15 site　16 audience　17 basic　18 Object
19 goods　20 doubt　21 gain　22 general　23 grant　24 govern
25 population　26 law　27 pride　28 recent　29 realistic　30 slave

DAY 06 Wrap-up Test

p. 33

Ⓐ 1 …에 실패하다　2 미끄러지다, 미끄러짐　3 정신, 영혼　4 …에 더해서, …외에 또　5 살아남다,
생존하다　6 whatever　7 hand in hand　8 upper　9 unless　10 switch

Ⓑ 11 smooth　12 suffered　13 weapon　14 transported　15 techniques

Ⓒ 16 upper　17 survive　18 spirit　19 slide　20 switch

DAY 07 Wrap-up Test

p. 37

Ⓐ 1 가슴　2 자유　3 도망치다, 떠나다　4 감상하다, 가치를 인정하다, 감사하다　5 논하다, 언쟁하다
6 aim　7 awkward　8 available　9 first of all　10 have difficulty in -ing

Ⓑ 11 achieved　12 border　13 debated　14 features　15 confidence

Ⓒ 16 aim　17 available　18 freedom　19 argue　20 achieve

DAY 08 **Wrap-up Test**
p. 41

Ⓐ 1 빛나는, 훌륭한, 총명한 2 …을 이해하다, 알아보다 3 감소하다, 감소 4 독립 5 …을 대신하여, 대표하여 6 demand 7 chief 8 damage 9 contrast 10 in turn

Ⓑ 11 escaped 12 consume 13 cure 14 award 15 advised

Ⓒ 16 demand 17 decrease 18 brilliant 19 cure 20 chief

DAY 09 **Wrap-up Test**
p. 45

Ⓐ 1 친숙한, 잘 아는 2 재난, 재앙 3 전시, 전시품, 전시하다 4 고장 난 5 우연히 만나다 6 evidence 7 fear 8 due 9 point out 10 entertain

Ⓑ 11 destroyed 12 ceremony 13 duty 14 eager 15 attractive

Ⓒ 16 due 17 exhibit 18 ceremony 19 evidence 20 disaster

DAY 10 **Wrap-up Test**
p. 49

Ⓐ 1 연상하다, 관련시키다 2 얼다, 동결하다 3 관대한, 후한 4 성장, 발전 5 혼자서, 단독으로 6 industry 7 locate 8 curve 9 lack 10 rely on

Ⓑ 11 intend 12 lead to 13 horizon 14 identified 15 immediately

Ⓒ 16 ⓒ 17 ⓑ 18 ⓓ 19 ⓔ 20 ⓐ

DAY 06~10 **Review Test**
p. 50

1 spirit 2 upper 3 suffer 4 weapon 5 transport 6 technique
7 feature 8 achieve 9 available 10 freedom 11 breast 12 debate
13 brilliant 14 Award 15 contrast 16 damage 17 demand 18 Chief
19 disaster 20 due 21 fear 22 evidence 23 duty 24 attractive
25 growth 26 industry 27 immediate 28 generous 29 lack 30 curve

DAY 11 Wrap-up Test
p. 55

Ⓐ 1 도덕상의, 윤리의, 교훈 2 A에게서 B를 제거하다 3 정치, 정치학 4 풀린, 느슨한 5 …의 측면에서, …의 견지에서 6 logic 7 nut 8 do one's best 9 relative 10 prevent

Ⓑ 11 observed 12 remind 13 official 14 occur 15 mental

Ⓒ 16 occur 17 moral 18 loose 19 logic 20 prevent

DAY 12 Wrap-up Test
p. 59

Ⓐ 1 교장, 주요한 2 보답하다, 보상 3 …을 계속하다 4 추천하다, 권하다 5 직업, 전문직 6 regard 7 route 8 more or less 9 predict 10 in a degree

Ⓑ 11 released 12 purpose 13 Quality 14 satisfy 15 overcome

Ⓒ 16 satisfy 17 release 18 principal 19 reward 20 purpose

DAY 13 Wrap-up Test
p. 63

Ⓐ 1 실물로, 본인이 직접 2 선언하다, 선포하다 3 시민의, 문명(사회)의 4 바치다 5 곧 …하다, 거의 …하다 6 device 7 distant 8 bathe 9 pay attention to 10 consist

Ⓑ 11 arise 12 cope 13 depth 14 bitter 15 charge

Ⓒ 16 devote 17 device 18 bathe 19 declare 20 distant

DAY 14 Wrap-up Test
p. 67

Ⓐ 1 묶인, …행의 2 태도, 사고방식 3 정시에, 정각에 4 투쟁, 충돌, 충돌하다 5 특징, 특색, 독특한, 특유의 6 happen to 7 clay 8 ancient 9 coal 10 to make matters worse

Ⓑ 11 considerable 12 secretary 13 silence 14 brick 15 attempt

Ⓒ 16 bound 17 ancient 18 silence 19 conflict 20 characteristic

Wrap-up Test

Ⓐ 1 …을 두려워하다   2 천장   3 준비하다, 정리하다   4 값진, 귀중한   5 …으로 가득 차다
6 access   7 capable   8 term   9 congress   10 run out of

Ⓑ 11 behave   12 candle   13 committed   14 angle   15 steady

Ⓒ 16 steady   17 ceiling   18 valuable   19 capable   20 arrange

Review Test

1 mental   2 official   3 politics   4 moral   5 logic   6 relative
7 principal   8 release   9 satisfy   10 reward   11 quality   12 route   13 civil
14 depth   15 charge   16 bitter   17 device   18 bathe   19 attitude
20 considerable   21 conflict   22 ancient   23 silence   24 secretary
25 steady   26 valuable   27 congress   28 term   29 commit   30 angle

Wrap-up Test

Ⓐ 1 불평, 불만   2 …에 성공하다   3 어딘가에   4 방송하다, 방송   5 놀랍게도   6 surface
7 refrain from   8 constant   9 academy   10 shelter

Ⓑ 11 promoted   12 contributed   13 assembly   14 permit   15 Senior

Ⓒ 16 academy   17 broadcast   18 complaint   19 senior   20 shelter

Wrap-up Test

Ⓐ 1 수많은   2 양육하다, 교육하다   3 영향을 끼치다, 감동시키다   4 상업, 교역   5 매혹하다, 매력
6 in contrast   7 creature   8 account   9 urgent   10 take off

Ⓑ 11 bet   12 Whenever   13 slipped   14 claimed   15 Bay

Ⓒ 16 numerous   17 affect   18 urgent   19 charm   20 commerce

A 1 암 2 담다. (얼마가) 들어가다 3 위원회 4 결국 …하다 5 절, 사원 6 object to -ing 7 answer for 8 current 9 barrier 10 crop

B 11 eastern 12 arrested 13 afterward 14 converted 15 conscious

C 16 arrest 17 conscious 18 barrier 19 current 20 afterward

A 1 상하다, 나빠지다 2 …에 위치하다 3 부끄러운, 수치스러운 4 밑그림, 초안, 설계도, 밑그림을 그리다, 징병하다 5 우울하게 하다, 낙담시키다 6 point of view 7 twist 8 vision 9 sharp 10 chemical

B 11 desires 12 aid 13 willing 14 Critics 15 consequence

C 16 draft 17 sharp 18 vision 19 depress 20 ashamed

A 1 차량, 탈것 2 …을 고대하다, 열망하다 3 자동의, 기계적인 4 커플, 부부, 한 쌍 5 …을 부끄러워하다, 수치스러워하다 6 client 7 be used to -ing 8 deal 9 burst 10 agency

B 11 appeal 12 attacked 13 calculated 14 concluded 15 basis

C 16 burst 17 couple 18 automatic 19 vehicle 20 agency

1 senior 2 academy 3 shelter 4 complaint 5 surface 6 constant 7 Bay 8 creature 9 bet 10 commerce 11 account 12 urgent 13 cancer 14 crop 15 committee 16 current 17 barrier 18 temple 19 critic 20 chemical 21 vision 22 aid 23 sharp 24 consequence 25 automatic 26 vehicle 27 basis 28 conclude 29 burst 30 agency

Ⓐ 1 실패 2 솔직한 3 방해하다, 중단하다 4 A와 B 둘 다 5 설립하다, 확립하다 6 agree with
7 fancy 8 evil 9 be anxious about 10 emotion

Ⓑ 11 faint 12 eventually 13 highly 14 instant 15 equipped

Ⓒ 16 evil 17 failure 18 emotion 19 frank 20 establish

Ⓐ 1 의회, 국회 2 세대, 발생 3 결국, 마침내 4 가족, 세대 5 보통 때처럼, 평소처럼
6 be absorbed in 7 firm 8 flight 9 explode 10 mosquito

Ⓑ 11 highlight 12 formal 13 flame 14 elements 15 ideal

Ⓒ 16 ⓓ 17 ⓒ 18 ⓔ 19 ⓐ 20 ⓑ

Ⓐ 1 맛 2 …로 만들어지다 3 공학 4 보기, 사례 5 단지, 다만 6 pleasant 7 influence
8 be known for 9 impact 10 once upon a time

Ⓑ 11 economy 12 intelligent 13 influences 14 issue 15 flavor

Ⓒ 16 midnight 17 pleasant 18 impact 19 injure 20 instance

Ⓐ 1 측정하다, 재다, 측정, 치수, 크기 2 지도(력) 3 안의, 내부의 4 해바라기 5 결혼, 결혼식
6 make an effort 7 particular 8 junior 9 mood 10 be in possession of

Ⓑ 11 leadership 12 literature 13 judge 14 Moderate 15 Junior

Ⓒ 16 junior 17 marriage 18 mood 19 measure 20 lean

Wrap-up Test

Ⓐ 1 무시하다, 등한시하다 2 아무도[하나도] (… 않다) 3 우연히 4 기회 5 …을 넘겨주다, 양도하다
6 murder 7 odd 8 organize 9 nuclear 10 in a hurry

Ⓑ 11 port 12 obey 13 nuclear 14 odd 15 greeted

Ⓒ 16 opportunity 17 neglect 18 ordinary 19 murder 20 motion

DAY 21~25 **Review Test**

1 faint 2 emotion 3 fancy 4 evil 5 instant 6 failure 7 flight
8 flame 9 element 10 firm 11 ideal 12 generation 13 pleasant
14 economy 15 midnight 16 flavor 17 influence 18 engineering
19 marriage 20 mood 21 lean 22 Literature 23 inner 24 moderate
25 motion 26 opportunity 27 murder 28 nuclear 29 organize 30 ordinary

DAY 26 **Wrap-up Test**

Ⓐ 1 윤곽, 개요, …의 윤곽을 그리다 2 실행하다 3 연합의, 연방의 4 가까운, 가까이에 5 바로, 즉시, 당장 6 pretend 7 pitch 8 pressure 9 outcome 10 polish

Ⓑ 11 polishing 12 pretended 13 nearby 14 paste 15 philosophy

Ⓒ 16 outstanding 17 outcome 18 outline 19 nearby 20 pressure

DAY 27 **Wrap-up Test**

Ⓐ 1 행성 2 …을 요구하다 3 그리다, 끌어당기다 4 재능, 연기자 5 … 때문에 6 rescue
7 seaside 8 thread 9 be willing to 10 stare

Ⓑ 11 wallet 12 witness 13 Religion 14 private 15 volunteer

Ⓒ 16 ⓓ 17 ⓔ 18 ⓐ 19 ⓑ 20 ⓒ

Wrap-up Test

p. 129

Ⓐ 1 종류, 분류하다   2 위험   3 꾸짖다   4 돌아오다   5 사실상의, 가상의   6 wage   7 regret   8 violent   9 clone   10 dawn

Ⓑ 11 require   12 violent   13 breathe   14 wage   15 throughout

Ⓒ 16 require   17 violent   18 wage   19 breathe   20 scold

Wrap-up Test

p. 133

Ⓐ 1 …에 도착하다   2 시험, 조사   3 어떻게 해서든지, 어쩐지   4 …하는 게 낫다   5 A도 아니고 B도 아닌   6 mostly   7 region   8 spot   9 prove   10 forever

Ⓑ 11 prove   12 sympathy   13 refuse   14 Tin   15 severe

Ⓒ 16 spot   17 examination   18 request   19 forever   20 region

Wrap-up Test

p. 137

Ⓐ 1 속삭이다, 속삭임   2 오염시키다   3 환상적인   4 호각, 휘파람, 휘파람을 불다   5 태평양, 태평양의   6 in one's opinion   7 colorful   8 for oneself   9 standard   10 have an effect on

Ⓑ 11 graduate   12 reserve   13 someday   14 Wealth   15 whistle

Ⓒ 16 ⓐ reserve ⓑ reservation   17 ⓐ pollution ⓑ polluted   18 ⓐ wealth ⓑ wealthy   19 ⓐ color ⓑ colorful   20 ⓐ cartoonist ⓑ cartoon

Review Test

p. 138

1 military   2 polish   3 outcome   4 pressure   5 outstanding   6 federal   7 thread   8 private   9 planet   10 volunteer   11 religion   12 rescue   13 dawn   14 throughout   15 violent   16 wage   17 breathe   18 virtual   19 region   20 refuse   21 tin   22 severe   23 sympathy   24 request   25 cartoon   26 standard   27 fantastic   28 colorful   29 reserved   30 pollution

Wrap-up Test

p.143

Ⓐ **1** 조사하다 **2** 청소하다, 쓸다 **3** (토지를) 비옥하게 하다, 기름지게 하다 **4** 위협하다, 협박하다
5 미리 **6** resistance **7** royal **8** on account of **9** scare **10** rate

Ⓑ **11** nowadays **12** kites **13** royal **14** wool **15** rate

Ⓒ **16** scare **17** sweep **18** retire **19** resistance **20** threaten

---

DAY **32** **Wrap-up Test**

p.147

Ⓐ **1** 최후의, 궁극의 **2** 상세히, 자세히 **3** 난로 **4** (정처 없이) 돌아다니다 **5** 범위, (조리용) 레인지,
가지런히 하다 **6** specific **7** suffer from **8** rapid **9** can afford to **10** classmate

Ⓑ **11** proof **12** wisdom **13** shade **14** southern **15** urban

Ⓒ **16** ⓑ **17** ⓒ **18** ⓐ **19** ⓔ **20** ⓓ

DAY **33** **Wrap-up Test**

p.151

Ⓐ **1** 복구하다, 회복하다 **2** 빈곤, 가난 **3** 결코 …이 아닌 **4** 풀장, 웅덩이 **5** 봉급 **6** peaceful
7 anymore **8** passionate **9** put off **10** take place

Ⓑ **11** seldom **12** impressed **13** protein **14** creative **15** strict

Ⓒ **16** salary **17** peaceful **18** creative **19** restore **20** passionate

---

DAY **34** **Wrap-up Test**

p.155

Ⓐ **1** 운동 선수 **2** …을 고집히다 **3** 우주선 **4** 햇빛 **5** 공공연히, 대중 앞에서 **6** treasure
7 dizzy **8** cave **9** blend **10** Mars

Ⓑ **11** Athletes **12** clothes **13** scenery **14** chairperson **15** cave

Ⓒ **16** dig **17** blend **18** clothes **19** treasure **20** spaceship

Wrap-up Test

p. 159

Ⓐ **1** 조화, 일치   **2** …을 고집하다   **3** 나무 줄기, 여행 가방, 짐칸, 코끼리 코   **4** 자줏빛, 자줏빛의
5 장례식   **6** laughter   **7** come by   **8** litter   **9** appear   **10** make sense

Ⓑ **11** hero   **12** sleepy   **13** appeared   **14** shy   **15** portrait

Ⓒ **16** funeral   **17** harmony   **18** portrait   **19** shy   **20** appear

---

DAY 31~35   **Review Test**

p. 160

1 wool   **2** shame   **3** rate   **4** retire   **5** sweep   **6** resistance   **7** stove
8 shade   **9** urban   **10** wisdom   **11** proof   **12** specific   **13** strict
14 protein   **15** passionate   **16** peaceful   **17** creative   **18** treasure
19 scenery   **20** Mars   **21** athlete   **22** clothes   **23** cave   **24** spaceship
25 hero   **26** harmony   **27** laughter   **28** portrait   **29** funeral   **30** nutritious

---

DAY 36   **Wrap-up Test**

p. 165

Ⓐ **1** 결코 …이 아닌   **2** 아무 데도 (… 없다)   **3** 요정, 요정의, 상상의   **4** … 덕택으로, … 때문에
5 악수   **6** Arctic   **7** twins   **8** nervous   **9** animate   **10** devote oneself to

Ⓑ **11** recipe   **12** knelt   **13** rewrite   **14** bowed   **15** magic

Ⓒ **16** Arctic   **17** nowhere   **18** animate   **19** fairy   **20** nervous

---

DAY 37   **Wrap-up Test**

p. 169

Ⓐ **1** 건축가, 설계하다   **2** 영수증   **3** A를 B로 간주하다   **4** 좌절시키다, 실망시키다   **5** 사실대로 말하면
6 chat   **7** thoughtful   **8** cafeteria   **9** regard A as B   **10** dot

Ⓑ **11** sewing   **12** housewife   **13** neighborhood   **14** wheat   **15** worldwide

Ⓒ **16** ⓐ thoughtful ⓑ thought   **17** ⓐ frustrated ⓑ frustrate   **18** ⓐ receipt
ⓑ receive   **19** ⓐ neighbor ⓑ neighborhood   **20** ⓐ architect ⓑ architecture

Wrap-up Test
p. 173

Ⓐ 1 돌리다　2 …을 (강력하게) 주장하다　3 맘껏 먹다　4 도심, 도심지의, 시내로　5 훑어보다, 유심히 쳐다보다　6 blank　7 suicide　8 know A from B　9 trash　10 sign

Ⓑ 11 ghosts　12 comedy　13 yell　14 heritage　15 clapped

Ⓒ 16 ghost　17 blank　18 spin　19 suicide　20 scan

Wrap-up Test
p. 177

Ⓐ 1 속담, 격언　2 정복하다　3 위층으로, 위층에　4 초고층 건물, 마천루　5 다양한, 갖가지의　6 farmhouse　7 curl　8 at the same time　9 swear　10 out of fashion

Ⓑ 11 advertisements　12 faithful　13 landscapes　14 helpful　15 guy

Ⓒ 16 ⓒ　17 ⓓ　18 ⓑ　19 ⓐ　20 ⓔ

Wrap-up Test
p. 181

Ⓐ 1 한 줄로, 연속적으로　2 혼란시키는, 당황케 하는　3 틀림없이 …하다, …하지 않을 수 없다　4 다이빙하다, (물 속으로) 뛰어들다　5 당황, 공포　6 nod　7 quit　8 straw　9 make up one's mind　10 jealous

Ⓑ 11 humble　12 meditation　13 original　14 sunrise　15 proposed

Ⓒ 16 dive　17 panic　18 confusing　19 sunrise　20 propose

Review Test
p. 182

1 twin　2 rewrite　3 magic　4 fairy　5 Arctic　6 recipe
7 neighborhood　8 architect　9 receipt　10 housewife　11 sew
12 thoughtful　13 ghost　14 suicide　15 trash　16 heritage　17 sign
18 clap　19 landscape　20 advertisement　21 conquer　22 upstairs
23 faithful　24 swear　25 original　26 straw　27 sunrise　28 jealous
29 humble　30 quit

A 1 내려놓다, 버리다 2 낙타 3 고향 4 …에 따라, …에 의하면 5 낮잠을 자다 6 instrument
7 being 8 cage 9 butterfly 10 rob

B 11 endure 12 backbone 13 advantage 14 grocery 15 satisfactory

C 16 being 17 cage 18 rob 19 hometown 20 camel

A 1 기부하다 2 악어 3 판명되다 4 …하지 않을 수 없다 5 유머, 기분 6 worthy
7 elementary 8 sunset 9 bubble 10 either A or B

B 11 arrow 12 folk 13 scratched 14 gym 15 dessert

C 16 humor 17 worthy 18 sunset 19 elementary 20 donate

A 1 시인 2 제시간에 3 고아 4 기억하다, 암기하다 5 버섯 6 be worth -ing
7 microwave 8 cancel 9 compare A to B 10 selfish

B 11 passport 12 ladder 13 Admission 14 biography 15 polar

C 16 ⓐ poetic ⓑ poet 17 ⓐ cancel ⓑ canceled 18 ⓐ memory ⓑ memorize
19 ⓐ selfishness ⓑ selfish 20 ⓐ orphan ⓑ orphanage

A 1 근면한, 부지런한 2 (얇게 썬) 조각, 얇게 썰다 3 돕다, 박수치다 4 전략, 방책 5 솔직히 말해서
6 obvious 7 seafood 8 bud 9 tuna 10 play a role in

B 11 sesame 12 snails 13 beads 14 bride 15 carbohydrater

C 16 obvious 17 diligent 18 bud 19 strategy 20 slice

Ⓐ 1 지진　2 지네　3 대륙　4 …을 놀리다　5 외모, 출현　6 fiber　7 expedite　8 dine
9 in spite of　10 have an idea of

Ⓑ 11 herbs　12 gravity　13 grasshopper　14 dandelion　15 erase

Ⓒ 16 ⓒ　17 ⓑ　18 ⓐ　19 ⓔ　20 ⓓ

DAY **41~45** **Review Test** p. 204

1 advantage　2 instrument　3 grocery　4 rob　5 satisfactory
6 endure　7 dessert　8 arrow　9 sunset　10 elementary　11 donate
12 folk　13 polar　14 cancel　15 poet　16 memorize　17 orphan
18 selfish　19 obvious　20 bride　21 bead　22 diligent　23 tuna
24 strategy　25 gravity　26 herb　27 erase　28 fiber　29 appearance
30 Continent

DAY **46** **Wrap-up Test** p. 209

Ⓐ 1 …에 들르다　2 소매　3 목초지, 초원　4 그럼에도 불구하고　5 휴대용의　6 misunderstand
7 pine　8 ox　9 customer　10 be composed of

Ⓑ 11 rubble　12 illegal　13 Nausea　14 minerals　15 palm

Ⓒ 16 portable　17 pine　18 meadow　19 sleeve　20 customer

DAY **47** **Wrap-up Test** p. 213

Ⓐ 1 태풍　2 한 학기　3 소위, 이른바　4 토하다, 분출하다　5 …와 결혼하다　6 used to
7 tame　8 be familiar with　9 starve　10 weed

Ⓑ 11 symptoms　12 soak　13 sweat　14 taboo　15 prosper

Ⓒ 16 starve　17 weed　18 typhoon　19 tame　20 semester

A 1 궁리하다, 고안하다   2 게   3 쾌활한, 유쾌한   4 협력하다, 협동하다   5 갑자기
6 believable   7 wizard   8 workout   9 take part in   10 in other words

B 11 fable   12 beans   13 fist   14 equilibrium   15 employees

C 16 fable   17 employee   18 equilibrium   19 workout   20 cheerful

A 1 다가오는   2 해외의, 해외로   3 단지 …뿐   4 수동적인, 소극적인   5 …일 것 같다
6 impressive   7 bullet   8 on and on   9 landmark   10 martial

B 11 abnormal   12 bulbs   13 shopkeeper   14 shepherd   15 routine

C 16 routine   17 martial   18 upcoming   19 bullet   20 landmark

A 1 유해한, 해로운   2 지리학   3 …에 달려 있다, …을 하다   4 냉각시키다   5 …하지 않을 수 없다
6 lately   7 originate   8 posture   9 face to face   10 railroad

B 11 priceless   12 rainfall   13 chef   14 destined   15 handkerchief

C 16 lately   17 harmful   18 originate   19 geography   20 refrigerate

1 sleeves   2 customer   3 palm   4 illegal   5 portable   6 mineral
7 starve   8 symptom   9 tame   10 semester   11 typhoon   12 sweat
13 employee   14 cheerful   15 devise   16 workout   17 cooperate
18 equilibrium   19 upcoming   20 passive   21 overseas   22 routine
23 impressive   24 abnormal   25 posture   26 refrigerate   27 harmful
28 geography   29 priceless   30 rainfall

DAY 51   Wrap-up Test

A   1 ···하는 편이 낫다   2 세포의, 통화 존 식의   3 사춘기   4 새우   5 ···에 앞서   6 astronomy
  7 in favor of   8 seasoning   9 chore   10 underground

B   11 ashes   12 deed   13 left-handed   14 stole   15 tribe

C   16 underground   17 chore   18 astronomy   19 seasoning   20 steal

DAY 52   Wrap-up Test

A   1 관측소, 기상대   2 층   3 어울리다   4 이야기하다   5 ···을 따라잡다   6 mess   7 peer
  8 contrary to   9 greedy   10 fierce

B   11 diameter   12 cigarettes   13 preserve   14 marginal   15 forefinger

C   16 ⓑ   17 ⓓ   18 ⓒ   19 ⓐ   20 ⓔ

DAY 53   Wrap-up Test

A   1 윙윙거리다, 분주하게 돌아다니다, 윙윙거리는 소리   2 미끄러운   3 결코 ··· 아닌   4 ···하고 싶다
  5 얽히게 하다   6 script   7 cane   8 bull   9 wildlife   10 as ··· as possible

B   11 oppose   12 Straighten   13 sensible   14 width   15 utilize

C   16 script   17 bull   18 tangle   19 oppose   20 wildlife

DAY 54   Wrap-up Test

A   1 ···을 건네주다, 제출하다   2 (빵) 부스러기, 작은 조각   3 수확, 수확하다   4 방언, 사투리
  5 인어   6 cliff   7 cradle   8 out of control   9 hug   10 distinguish A from B

B   11 imitate   12 fireplace   13 Honesty   14 idioms   15 garbage

C   16 crumb   17 cliff   18 harvest   19 hug   20 cradle

DAY 55 **Wrap-up Test** p. 247

(A) 1 사제, 목사   2 인내, 참을성   3 …의 경우에는   4 비참한, 불쌍한   5 아픈, 고통스러운   6 naked
7 merry   8 that is   9 manage to   10 plow

(B) 11 pills   12 Anger   13 volcano   14 register   15 Psychology

(C) 16 ⓒ, ⓓ   17 ⓑ, ⓖ   18 ⓐ, ⓒ   19 ⓔ, ⓔ   20 ⓓ, ⓛ

DAY 51~55 **Review Test** p. 248

1 deed   2 astronomy   3 tribe   4 left-handed   5 chores   6 adolescence
7 peer   8 diameter   9 observatory   10 preserve   11 fierce   12 layer
13 sensible   14 utilize   15 oppose   16 width   17 slippery   18 wildlife
19 dialect   20 harvest   21 cliff   22 fireplace   23 garbage   24 imitate
25 psychology   26 register   27 anger   28 painful   29 pill   30 volcano

DAY 56 **Wrap-up Test** p. 253

(A) 1 발생하다, 발발하다   2 덜다, 경감하다   3 그저 그런   4 잠수함, 해저의   5 …을 갈망하다
6 turtle   7 teammate   8 tray   9 scrape   10 be fond of

(B) 11 Tender   12 sufficient   13 shiny   14 terrific   15 translated

(C) 16 so-so   17 teammate   18 submarine   19 relieve   20 tray

DAY 57 **Wrap-up Test** p. 257

(A) 1 반대의, 정반대   2 소중히 하다, 품다   3 통합하다, 통일하다   4 …을 언급하다, 나타내다
5 A에게서 B를 빼앗다   6 brow   7 alien   8 afterlife   9 curse   10 pass away

(B) 11 whale   12 well-done   13 chopsticks   14 dyed   15 deck

(C) 16 contrary   17 unify   18 alien   19 brow   20 cherish

Wrap-up Test
p. 261

Ⓐ 1 세계화하다 2 여성의, 여성스러운 3 본질, 정수 4 고집하는, 끈질긴 5 …에도 불구하고, …에 관계없이 6 heatstroke 7 invade 8 envy 9 be satisfied with 10 A as well as B

Ⓑ 11 irregular 12 maze 13 extract 14 genders 15 options

Ⓒ 16 ⓐ invade ⓑ invasion 17 ⓐ insistence ⓑ insistent 18 ⓐ essence ⓑ essential 19 ⓐ envious ⓑ envy 20 ⓐ global ⓑ globalize

Wrap-up Test
p. 265

Ⓐ 1 외진, 먼, 원격의 2 성인, 성자 3 …을 갈망하다 4 악몽 5 맛있는 6 in accordance with 7 vet 8 nun 9 apply for 10 skip

Ⓑ 11 symbolizes 12 stressful 13 widow 14 tomb 15 participate

Ⓒ 16 ⓓ 17 ⓔ 18 ⓒ 19 ⓐ 20 ⓑ

Wrap-up Test
p. 269

Ⓐ 1 익사하다, 물에 빠지다 2 기구, 제품 3 자발적인 4 …을 참다, 견디다 5 짐승 6 bark 7 habitat 8 on the contrary 9 quarrel 10 be accustomed to -ing

Ⓑ 11 ecosystem 12 wipe 13 homeless 14 humane 15 worsen

Ⓒ 16 quarrel 17 beast 18 voluntary 19 habitat 20 appliance

Review Test
p. 270

1 terrific 2 sufficient 3 turtle 4 translate 5 relieve 6 tray 7 contrary 8 chopsticks 9 alien 10 cherish 11 curse 12 dye 13 gender 14 essence 15 irregular 16 heatstroke 17 feminine 18 extract 19 skip 20 stressful 21 participate 22 widow 23 remote 24 tomb 25 appliance 26 worsen 27 humane 28 voluntary 29 beast 30 quarrel

INDEX

중학 영어
독해 + 내신

흥미로운 영어 책으로 독해 공부 제대로 하자!

READING
적중! 영어독해

110 ~ 130 words
대상: 초등 고학년, 중1

120 ~ 140 words
대상: 중1, 중2

130 ~ 150 words
대상: 중2, 중3

적중! 영어독해 특징

- 다양하고 재미있는 소재의 지문
- 다양한 어휘 테스트(사진, 뜻 찾기, 문장 완성하기, 영영풀이)
- 풍부한 독해 문제(다양한 유형, 영어 지시문, 서술형, 내신형)
- 전 지문 구문 분석 제공
- 꼭 필요한 학습 부가 자료(QR코드, MP3파일, WORKBOOK)

새 교과서에 맞춘 최신 개정판

중학영문법 3300제

문법 개념 정리	+	내신 대비 문제
출제 빈도가 높은 문법 내용을 표로 간결하게 정리		연습 문제+영작 연습+학교 시험 대비 문제+워크북

---

1. 최신 개정 교과서 연계표 (중학 영어 교과서의 문법을 분석)

2. 서술형 대비 강화 (최신 출제 경향에 따라 서술형 문제 강화)

3. 문법 인덱스 (책에 수록된 문법 사항을 abc, 가나다 순서로 정리)